KU-321-712

Leichte Küche

Konzeption und Fotos by
Lechner-Art-Team

Grafik & Layout: Erwin Kirsch

Fotografie: Brigitte Wegner
Sabine Riedel (Styling)
Ursula Stiller (Foodstyling)

Umschlag: Scholz & Friends GmbH, Hamburg

ISBN: 3-85049-087-4

Leichte Küche

Das moderne Kochbuch für alle, die leichter essen und genießen wollen.

Geschmack und Gesundheit

Mehr Eßvergnügen mit der leichten Küche!

Suppen, Eintöpfe, Vorspeisen, Hauptgerichte, Desserts, Salate und Snacks

Bewußt abwechslungsreich zusammengestellt, für den, der gern gut ißt.

Einfache naturbelassene Kost, schmackhaft zubereitet.

Ein genußreiches Vergnügen mit Rezepten, die bestimmt gelingen.

Vorwort

Gutes Essen und gesundes Essen müssen keine Gegensätze sein.

Zum guten Essen gehören Qualität und frische Zutaten, Kreativität in der Zusammenstellung und Geschmacklichkeit in der Zubereitung.

Gesundes Essen kann auch ein genußreiches Vergnügen sein. Gesunde Ernährung bestimmt die leichte Küche für den bewußt lebenden Genießer. Er weiß wie sehr seine körperliche und geistige Gesundheit von der richtigen Ernährung abhängen.

Falsche Eßgewohnheiten führen nicht selten zu

Herz- und Kreislaufbeschwerden oder zu Magen- und Darmerkrankungen. Die Ursache unserer heutigen Gesundheitsprobleme ist oft die übermäßige Kalorienzufuhr im Gegensatz zu mangelnder Aufnahme von Ballaststoffen und Vitaminen.

Der bewußte gesunde Ernährer möchte den notwendigen Ausgleich fördern. Die leichte Küche will wichtige Nährwerte für den Körper weitgehend erhalten und ein gesundes Eßvergnügen schaffen. Sie läßt mit ihren abwechslungsreichen Zubereitungsarten Formen und Farben der Gerichte bestens zur Geltung kommen; sie hilft den Nährstoffgehalt und die Eigenart der Nahrungsmittel mit ihrem ursprünglichen Geschmack besser zu wahren.

In diesem Buch wollen wir Ihnen das Ergebnis mit prachtvollen Fotos geschmackvoll vorführen.

Besondere Fachkenntnisse sind für die Zubereitung der Rezepte nicht notwendig.

Alle Rezepte sind so beschrieben, daß sie mit etwas Geschick sicher gelingen.

Die Menüangaben sind jeweils für vier Personen berechnet

Inhalt

1

Suppen Eintöpfe

1 Suppen Eintöpfe

Die Suppen und Eintöpfe stehen nicht unbedingt am Anfang einer Menü-Reihenfolge.

Wohlduftend serviert kann die Suppe auch als „Einzelgänger", als kleiner Imbiß zwischendurch, gereicht werden.

Die vorgeschlagenen Eintöpfe eignen sich bestens als sättigende vollwertige Mahlzeit.

Geeiste Tomatensuppe

500 g Tomaten
1 Schalotte
1 Knoblauchzehe
Salz
1/8 l Weißwein
1/8 l Fleischfond
etwas Zitronensaft
30 g Öl
etwas Paprika
Zucker
2 Stiele Kerbel und Petersilie
1/8 l Sahne

1 Die Tomaten häuten, vierteln und entkernen. Die Stengelansätze herausschneiden, dann die Tomaten pürieren und in eine Schüssel geben. Die geschälte Schalotte feinhacken und die gehäutete Knoblauchzehe mit Salz zerdrücken und beides ins Tomatenpüree mischen.

2 Weißwein, Fleischfond, Zitronensaft und Öl in die Tomatenmasse rühren. Die Suppe mit Paprika, Zucker und Salz abschmecken und kalt stellen.

3 Den Kerbel und die Petersilie waschen sowie hacken. Die Sahne halbsteif schlagen und die Hälfte der Kräuter in die Suppe geben. Die Suppe in 4 Teller verteilen und mit je einem Viertel der Sahne garnieren. Dann mit den restlichen Kräutern servieren.

Pikante Nußsuppe

50 g Paranußkerne
30 g Butter
20 g Mehl
3/4 l Fleischfond
1/4 l Milch
1/8 l Weißwein
50 g Schinkenspeck
2 Eigelb
50 g Sahne
Salz
Pfeffer
Schinkenstreifen
etwas Petersilie

1 Die Paranüsse mahlen. Die Butter in einem Topf zerlassen und die Hälfte der gemahlenen Nüsse mit dem Mehl einstreuen. In 2 Minuten zu einer goldgelben Masse schwitzen lassen und den Fleischfond unterrühren.

2 Die Milch angießen, etwas köcheln lassen; den Weißwein, die restlichen Nüsse und den feingewürfelten Schinken hinzufügen. Den Topf vom Herd nehmen.

3 Das Eigelb mit der Sahne verrühren und damit die Suppe legieren. Mit Salz und Pfeffer abschmecken. Vor dem Servieren die Suppe mit Schinkenstreifen und gehackter Petersilie garnieren.

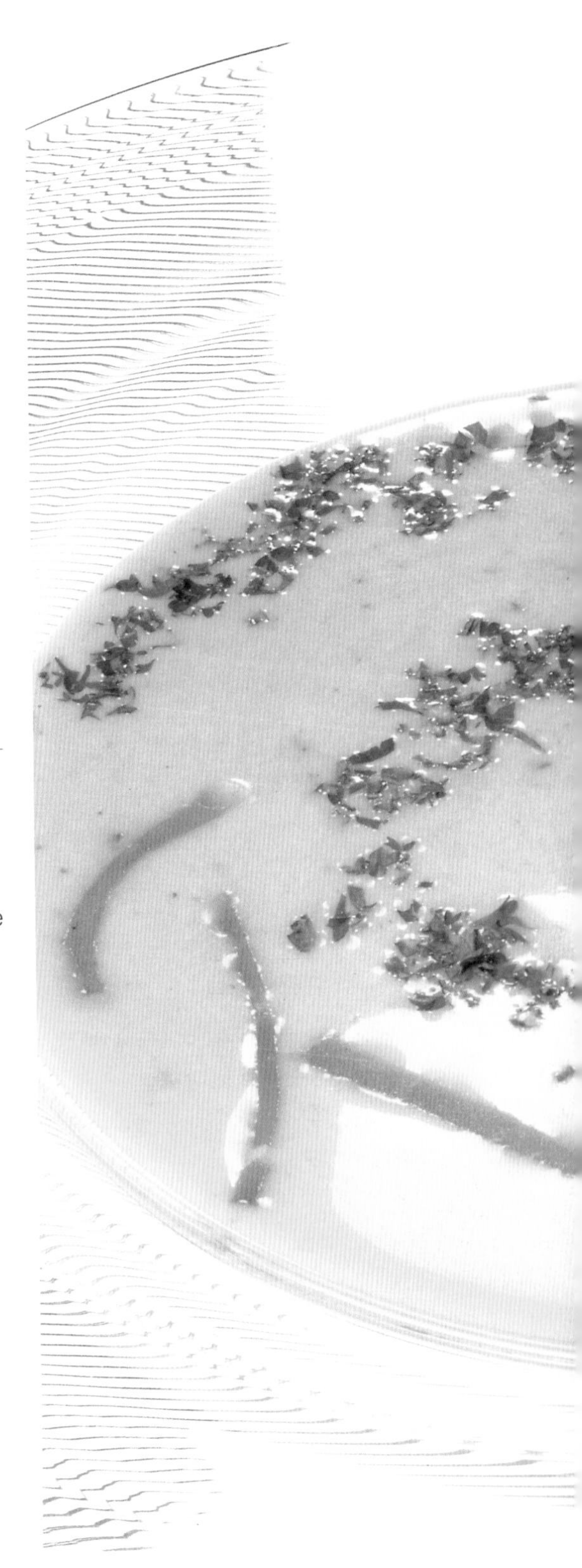

Geröstete Grießsuppe mit Basilikum

40 g Butter
50 g Grieß
1 Zwiebel
1 l Fleischfond
Salz
Pfeffer
2 EL Schnittlauchröllchen
2 EL gehackte Petersilie
Basilikumblätter
Kräuter zum Garnieren

1 Die Butter in einem Topf zerlassen und Grieß unter ständigem Rühren hellgelb darin rösten. Die geschälte und gewürfelte Zwiebel mit dünsten, bis sie glasig und der Grieß hellbraun ist.

2 Mit dem Fleischfond die Grießschwitze auffüllen, aufkochen lassen und anschließend 10 Minuten bei schwacher Hitze gar ziehen lassen.

3 Mit Salz und Pfeffer würzen. Den Schnittlauch, die Petersilie und die Basilikumstreifen kurz vor dem Servieren unterrühren und mit Kräutern garnieren.

Krabbensuppe

1 Zwiebel
2 Möhren
30 g Butter
3/4 l Fleischfond
etwas Bohnenkraut
Estragon
450 g tiefgekühlte Erbsen
150 g Nordsee-Krabben
100 ml Weißwein
1/8 l Sahne
100 ml Sekt

1 Zwiebel schälen und würfeln. Die Möhren schälen, waschen und kleinschneiden. Die Butter in einem Topf erhitzen und die Zwiebel- mit den Möhrenwürfeln darin 5 Minuten unter Rühren anbraten.

2 Mit dem heißen Fleischfond auffüllen und 10 Minuten kochen lassen. Dann das Bohnenkraut, den Estragon und die Erbsen zugeben. Nach 15 Minuten Köchelzeit die Suppe durch ein Sieb passieren, in den Topf geben und nochmals abschmecken.

3 Die Krabben in die Suppe geben und den Weißwein sowie die Sahne unterrühren. Den Sekt kurz vor dem Servieren zugeben.

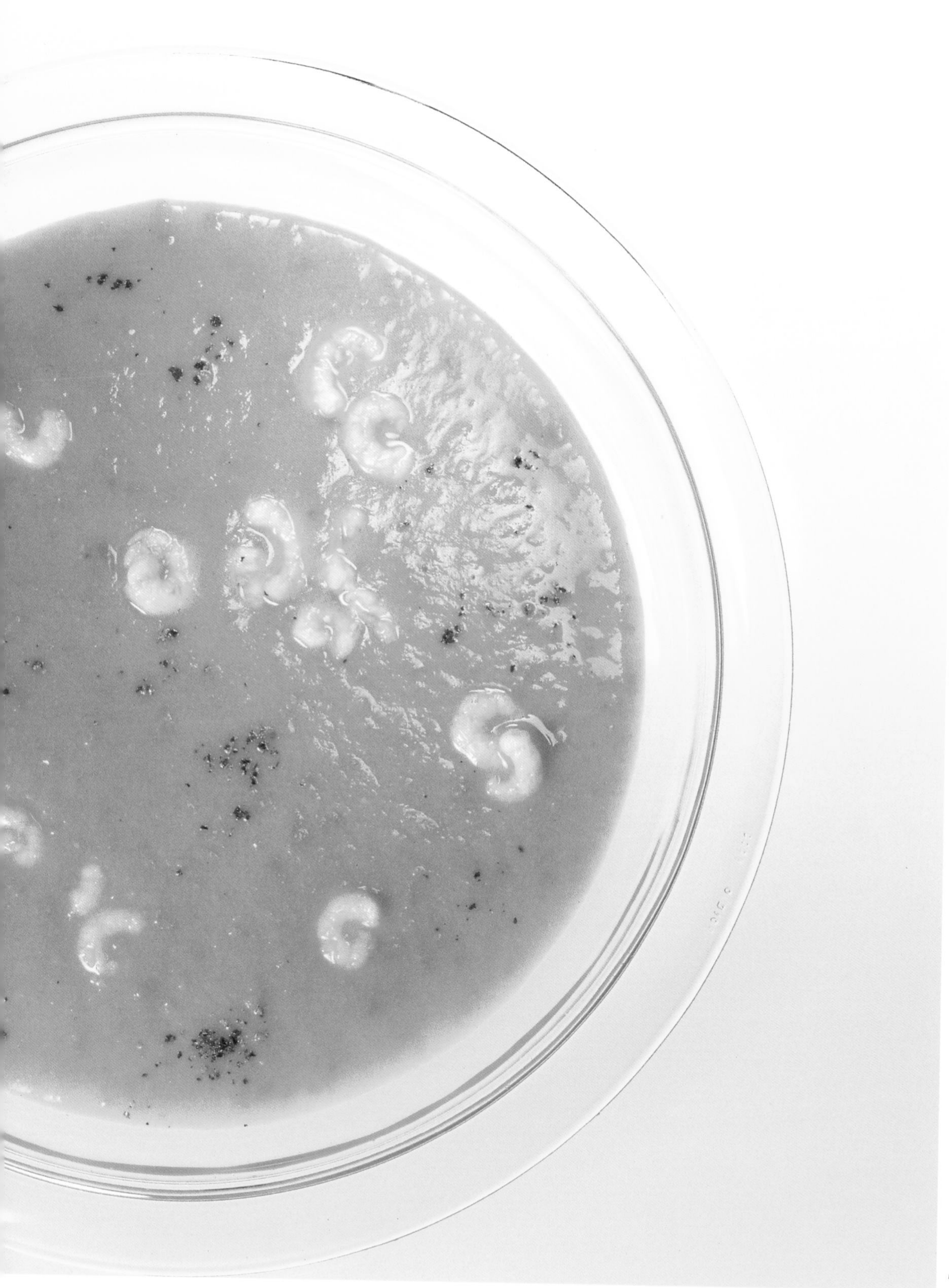

Suppe auf venezianische Art

100 g Schinkenspeck
2 Zwiebeln
1 Knoblauchzehe
Salz
4 Tomaten
500 g Wirsing
2 EL Öl
1 1/4 l heißer Fleischfond
Pfeffer
etwas Piment
Thymian
75 g Langkornreis
1 l Wasser
200 g Schinkenscheiben
20 g Butter
2 EL gehackte Petersilie

1 Den Speck würfeln. Die Zwiebeln und die Knoblauchzehe schälen; die Zwiebeln hacken, die Knoblauchzehe mit Salz zerdrücken. Die Tomaten häuten, vierteln und entkernen. Die Stengelansätze herausschneiden und die Tomaten würfeln.
Den Wirsing putzen, waschen, abtropfen lassen und in feine Streifen schneiden.

2 Danach Öl in einem Topf erhitzen, die Speckwürfel darin anbraten, dann die Zwiebeln und den Knoblauch glasig dünsten. Die Hälfte der Tomatenwürfel und den Wirsing hinzugeben, den Fleischfond angießen, mit Salz, Pfeffer, Piment und Thymian würzen. Das Ganze zugedeckt etwa 45 Minuten köcheln lassen.

3 Den gewaschenen Reis in einen Topf mit kochendem, gesalzenem Wasser geben. 15 Minuten garen, abgießen, mit warmem Wasser überspülen und abtropfen lassen. Die Schinkenscheiben in Streifen schneiden. Butter in einer Pfanne erhitzen und die Schinkenstreifen darin 4 Minuten braten, dann vorsichtig salzen.
Die restlichen Tomatenwürfel, den Reis und den Schinken in die fertige Suppe rühren, erwärmen und vor dem Servieren mit der Petersilie garnieren.

Grüne Kartoffelsuppe

700 g Kartoffeln
1 Zwiebel
30 g Margarine
2 Möhren
1/2 Sellerieknolle
1 Stange Porree
1 1/2 l heißes Wasser
Salz
Pfeffer
1 Lorbeerblatt
3 Gewürzkörner
4 Frankfurter Würstchen
1/8 l Sahne
2 EL gehackte Petersilie

1 Die Kartoffeln schälen, waschen und würfeln. Die Zwiebel schälen und würfeln. Die Margarine in einem Topf erhitzen und die Zwiebelwürfel darin glasig dünsten. Die Möhren, die Sellerieknolle, den Lauch (Porree) putzen, waschen, würfeln, in den Topf geben und unter Rühren 5 Minuten mitdünsten.

2 Das Wasser angießen, Kartoffelwürfel hinzufügen. Salzen, pfeffern, das Lorbeerblatt und die Gewürzkörner zugeben, aufkochen und in 20 Minuten gar kochen. Wurststückchen und die Sahne dazugeben. Dann erwärmen, abschmecken und vor dem Servieren mit Petersilie bestreuen.

Gurken-Eintopf

300 g Kartoffeln
1 Salatgurke
3 Zwiebeln
200 g Mischpilze (aus der Dose)
250 g Tomaten (aus der Dose)
30 g Margarine
1/8 l Fleischfond
Salz
Pfeffer
etwas Zucker
2 EL gehackte Petersilie
1 EL gehackter Dill

1 Die Kartoffel schälen, waschen und würfeln. Die Gurke ebenfalls waschen, schälen und in dicke Scheiben schneiden. Die Zwiebeln schälen, würfeln. Dann die Mischpilze und die Tomaten abtropfen lassen, Tomaten halbieren.

2 Die Margarine im Topf erhitzen, die Zwiebelwürfel darin glasig dünsten, die Kartoffeln hinzugeben und mit Fleischfond begießen. Das Ganze 10 Minuten bei mittlerer Hitze garen lassen. Dann die Gurkenscheiben und die Mischpilze hinzugeben und noch 10 Minuten garen lassen.

3 Zum Schluß die halbierten Tomaten darin erhitzen. Mit Salz, Pfeffer, Zucker würzen. Die Petersilie und den Dill hinzugeben und abschmecken.

Maistopf mit Paprika und Thunfisch

2 Dosen Thunfisch, im eigenen Saft (je 185 g)
2 Dosen Zuckermais (je 340 g)
1/2 l Gemüsebrühe
1/8 l Weißwein
3 EL Zitronensaft
1 Knoblauchzehe
1 Zwiebel
2 rote Paprikaschoten
30 g Butter
1 TL Paprika, edelsüß
1 EL grüne Pfefferkörner

1 Den Thunfisch und den Zuckermais mit der Brühe, dem Wein und dem Zitronensaft erwärmen. Die Knoblauchzehe und Zwiebel abziehen und anschließend sehr fein würfeln. Den Paprika halbieren, entstielen, entkernen, waschen und in feine Streifen schneiden.

2 Die Zwiebel, den Knoblauch und den Paprika in Butter andünsten. Nach etwa 3 Minuten - das Gemüse ist noch knackig - Paprikapulver hinzugeben und alles unter die Suppe ziehen.
Die Suppe mit grünem Pfeffer würzen und heiß servieren.

2 Vorspeisen

2 Vorspeisen

In der Regel führt die Vorspeise zum kulinarischen Höhepunkt, dem Hauptgericht. Sie soll als Bestandteil des guten Menüs nicht sättigen, sondern nur den Appetit anregen.

Wir zeigen Ihnen raffinierte, bunte Variationen, die auch als Zwischenmahlzeit oder Spätimbiß serviert werden können. Die Mengen dürfen bei diesen Gelegenheiten auch etwas üppiger sein.

Gefüllte Tomaten

4 große Tomaten
1 EL Öl
1 TL Essig
etwas Worcestersoße
Salz
Pfeffer
1 kleine Dose Thunfisch
3 Sardellenfilets
2 hartgekochte Eier
einige Kapern
1 EL Schnittlauch
1 EL Petersilie
2 EL Crème fraîche
1 Becher Joghurt
Saft einer Zitrone
Zucker
Selleriesalz

1 Die Tomaten waschen, abtrocknen und die Stengelansätze herausschneiden. Dann einen Deckel abschneiden und die Tomaten vorsichtig aushöhlen.

2 Das Öl, den Essig, die Worcestersoße, das Salz und den Pfeffer in einem Becher mischen. Die Tomaten damit ausstreichen und den abgetropften Thunfisch zerpflücken.

3 Die Sardellenfilets, die geschälten Eier und die Kapern kleinhacken und anschließend mit dem Schnittlauch, der Petersilie, der Crème fraîche, dem Joghurt und dem Zitronensaft in einer Schüssel mischen. Dann mit Zucker abschmecken. Die Tomaten mit der Öffnung nach unten abtropfen lassen. Mit dem Selleriesalz würzen und mit der Masse füllen. Vor dem Servieren den Deckel aufsetzen. Als Beilage eignen sich Toast und Butter.

Palmherzen in Schinken

1 Dose Palmherzen
8 Scheiben Schinken
2 TL Senf
4 Salatblätter
2 EL Kräuter
Crème fraîche

1 Palmherzen abtropfen lassen. Die Schinkenscheiben dünn mit dem Senf bestreichen und je eine Palmherzenstange in eine Scheibe Schinken rollen.

2 Die Schinkenrollen auf einem Salatblatt anrichten und mit den Kräutern sowie der Crème fraîche garnieren. Als Beilage servieren Sie Baguettescheiben.

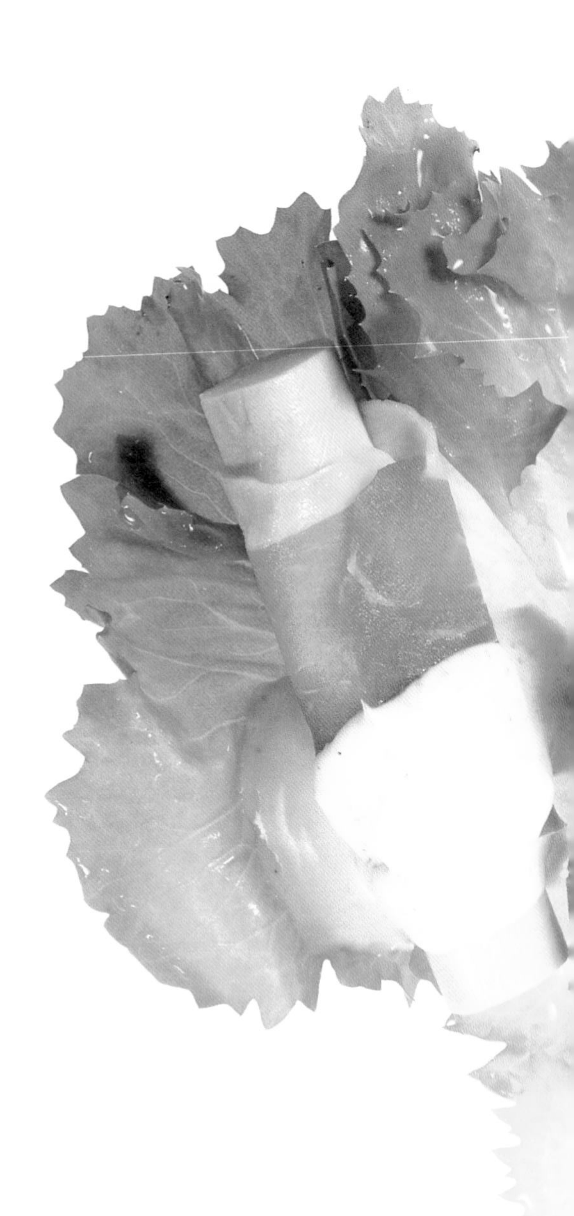

Gefüllte Champignonköpfe

70 g Butter oder Margarine
3 EL gehackte Schalotten
150 g Krabben
70 g gedünstete, gewürfelte Möhren
20 g Mehl
1/4 l Milch
Salz
Pfeffer
Zitronensaft
24 große, frische Champignons
Butter zum Einfetten
2 Tomaten
Petersilie zum Garnieren

1 50 g Butter in einer Pfanne erhitzen und die Schalotten darin goldgelb anbraten. Dann die Krabben mit den Möhren zu den Schalotten geben und kurz anbraten.

2 Restliche Butter in einem Topf erhitzen, das Mehl darüberstäuben und glattrühren. Die Milch unter Rühren dazugießen und das Ganze leicht köcheln lassen. Dann mit Salz, Pfeffer und Zitronensaft abschmecken.

3 Die Champignons waschen, abtrocknen. Die Stiele vorsichtig abdrehen, feinhacken und unter die Krabbenmasse ziehen. Die Champignonköpfe mit der Öffnung nach oben in eine ausgefettete feuerfeste Form geben. Zuerst die Soße einfüllen und darauf die Krabbenmischung verteilen. In den vorgeheizten Backofen schieben und etwa 10 Minuten bei 180° (Gasherd Stufe 3) garen lassen. Mit Tomaten und Petersilie garnieren. Als Beilage servieren Sie gebutterte Toastbrotdreiecke.

Gefüllte Eier mit Anchovisfilets

8 hartgekochte Eier
8 Anchovisfilets
50 g Frischkäse
1 Röhrchen Kapern
3 EL Olivenöl
Saft 1/2 Zitrone
etwas Essig
etwas Senfpulver
Salz
Majoranblättchen

1 Die Eier pellen und längs halbieren. Eigelbe in eine Rührschüssel geben und mit den feingehackten Anchovis und dem Frischkäse zu einer Paste verrühren.

2 Die gehackten Kapern, das Olivenöl, den Zitronensaft und etwas Essig hinzufügen. Dann die Füllung mit dem Senfpulver und dem Salz abschmecken.

3 Die Masse in die Eierhälften füllen, auf einer Platte servieren und mit den Majoranblättchen garnieren. Als Beilage schmeckt Vollkornbrot mit Butter vorzüglich.

Käse-Ananas-Salat

250 g Goudakäse
300 g Ananasscheiben
100 g Mandelstifte
etwas Butter
1 Becher Crème fraîche
4 EL Zitronensaft
Salz
weißer Pfeffer
Cayennepfeffer

1 Den Käse und die Ananas in Streifen schneiden. Die Mandelstifte in einer Pfanne in der heißen Butter goldbraun rösten.

2 Auf ein Küchenpapier geben und die Butter abtropfen lassen. Für die Soße die Crème fraîche mit dem Zitronensaft, Salz, dem Pfeffer und wenig Cayennepfeffer abschmecken.

3 Soße unter die Käse- und Ananasstreifen heben, mit den gerösteten Mandeln bestreut servieren.

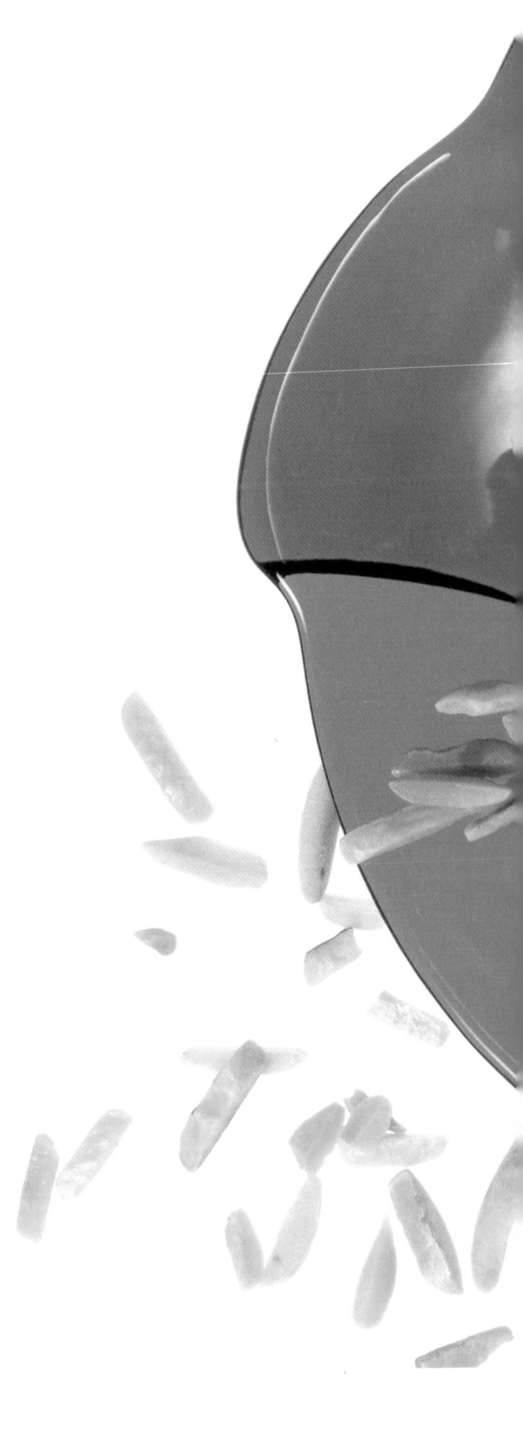

Bohnensalat mit Honigsoße

200 g weiße Bohnen (aus der Dose)
200 g rote Bohnen (aus der Dose)
3 EL Distelöl
2 EL Weinessig
1 EL Honig
Salz
Pfeffer
Paprika
200 g Prinzeßbohnen (aus der Dose)
1 TL Bohnenkraut-blättchen

1 Die Bohnen auf ein Sieb geben, abtropfen lassen und in einer Schüssel vermischen.

2 Das Öl, den Essig und den Honig in einen kleinen Topf geben, gut durchrühren und leicht erwärmen. Dann mit Salz, Pfeffer und Paprika abschmecken.

3 Die Bohnen mit der Hälfte der Soße vermengen und auf vier Teller verteilen. Jede Portion mit Prinzeßbohnen umranden, die restliche Soße darübergießen und vor dem Servieren mit dem Bohnenkraut bestreuen.

Austernpilze mit Tintenfisch

600 g küchenfertigen Tintenfisch
2 Zwiebeln
1 Lorbeerblatt
Salz
500 g Austernpilze
etwas Butter
1 Knoblauchzehe
1 rote Paprikaschote
1 EL Weißweinessig
Pfeffer aus der Mühle
3 EL Olivenöl

1 Die Tintenfische in schmale Ringe schneiden. Die abgezogenen Zwiebeln vierteln und mit den Tintenfischen, dem Lorbeerblatt und etwas Salz in einen Topf geben. Mit Wasser bedecken und zugedeckt 30 Minuten bei geringer Hitze kochen. Anschließend abgießen und das Lorbeerblatt herausnehmen.

2 Die Austernpilze mit einem Küchenpapier abreiben, von den festen Strunkteilen befreien und in Stükke brechen. In heißer Butter dann die Stükke portionsweise anbraten und den zerdrückten Knoblauch dazugeben.

3 Die Paprikaschote halbieren, entstielen und entkernen. Die weißen Scheidewände entfernen, waschen und würfeln. Dann aus Essig, Salz, Pfeffer und Öl mit dem Schneebesen eine cremige Marinade rühren. Alle Zutaten darin wenden.

3 Hauptgerichte

Gemüse
Fleisch
Geflügel
Fisch

3 Haupt-gerichte

Gemüse
Fleisch
Geflügel
Fisch

Der kulinarische Höhepunkt Ihres genußreichen leichten Menüs:

Gemüse: kann prächtig bunt aussehen und ist gesund. Mit viel Vitaminen und Mineralstoffen ist es ein nährstoffreicher Hauptbestandteil einer leichten Mahlzeit.

Fleisch: der wertvolle Beitrag zur Vitamin B-, Eisen- und Eiweißversorgung. Appetitanregende Düfte, geschmackvolle Vielfalt, die nicht immer teuer sein muß.

Geflügel: viel Eiweiß, wenig Fett. Leichte Kost nicht nur für den Sportler, sondern auch für den kalorienbewußten Gourmet.

Fisch: leichtverdauliche Delikatessen aus Seen, Meeren und Flüssen. Frisch zubereitet ist er kalorienbewußter Eiweiß-Leckerbissen mit viel Mineralstoffen und Vitaminen.

Tomatensoufflé

70 g Makkaroni
Wasser
Salz
30 g Margarine
40 g Schinkenspeck
30 g Mehl
1/4 l Milch
1 kleine Dose
Tomatenmark
100 g geriebener
Emmentaler Käse
Salz
Pfeffer
geriebene Muskatnuß
Saft 1/2 Zitrone
3 Eigelb
3 Eiweiß
5 Tomaten
Margarine zum Einfetten

1 Die Makkaroni in kleine Stücke brechen und in sprudelndem Salzwasser 10 Minuten kochen lassen. Dann auf einem Sieb abschrecken und abtropfen lassen.

2 Die Margarine in einem Topf erhitzen und Schinkenwürfel darin anbraten. Das Mehl dazugeben und unter Rühren durchschwitzen lassen. Dann die Milch hinzugießen und die Soße 5 Minuten unter Rühren kochen. Den Topf vom Herd nehmen und das Tomatenmark sowie den Käse unterziehen. Anschließend mit Salz, Pfeffer, Muskatnuß und Zitronensaft würzen.

3 Das Eigelb verquirlen und in die Soße rühren. Das Eiweiß steif schlagen und mit den Makkaroni unter die Soße heben. Aus den enthäuteten Tomaten die Stengelansätze entfernen und sie dann in Scheiben schneiden.

4 Eine feuerfeste Form einfetten und die Tomatenscheiben darin einschichten und salzen. Die Soufflémasse einfüllen. Die Form auf die mittlere Schiene in den vorgeheizten Backofen schieben. Etwa 30 Minuten im Elektroherd bei 180 ° (Gasherd Stufe 3) backen. Als Beilage eignet sich ein gemischter Salat.

Überbackener Chicoree

1 kg Chicoree
Wasser
Salz
1 EL Essig
8 große Scheiben Schinken
etwas Butter zum Einfetten
40 g zerlassene Butter
100 g geriebener Käse

1 Den Chicoree waschen und putzen. Das Wurzelende 1 cm breit abschneiden und den bitteren Kern keilförmig entfernen.

2 Das Wasser mit etwas Salz und Essig in einem Topf aufkochen und den Chicoree 5 Minuten darin kochen. Dann abtropfen lassen und anschließend mit den Schinkenscheiben umwickeln.

3 Eine feuerfeste Form mit ein wenig Butter einfetten und den Chicoree hineinlegen. Die zerlassene Butter darübergeben und dann mit dem geriebenen Käse bestreuen. In den vorgeheizten Backofen schieben und bei 200 ° (Stufe 4 im Gasherd) etwa 15 Minuten backen. Als Beilage schmeckt Kartoffelpürree mit Kräutern besonders gut.

Verlorene Eier im Spinatbett

700 g Blattspinat
Salz
30 g Margarine
weißer Pfeffer
geriebene Muskatnuß
20 g Margarine
30 g Mehl
1/8 l Fleischfond
1/8 l Milch
Pfeffer
je 20 g geriebener Gouda und Parmesan
2 l Wasser
4 EL Kräuteressig
Salz
8 Eier
40 g geriebener Gouda
20 g Butter

1 Den Blattspinat putzen, waschen und abtropfen lassen. Wenig Wasser in einem Topf erhitzen, salzen; darin den Spinat kurz abbrühen und dann abtropfen lassen. Die Margarine in einem Topf erhitzen und den abgetropften Spinat darin 2 Minuten vorsichtig dünsten. Anschließend mit Salz, Pfeffer und Muskatnuß würzen und in eine feuerfeste Form füllen.

2 Für die Soße die Margarine in einem Topf erhitzen und das Mehl darin anschwitzen. Den Fleischfond und die Milch unter weiterem Rühren hinzugießen und 5 Minuten kochen lassen. Dann mit Pfeffer und Muskat abschmecken, den geriebenen Käse zugeben und so lange rühren, bis er sich aufgelöst hat.

3 Für die Eier das Wasser mit Essig und Salz in einem hohen Topf aufkochen. Jeweils ein Ei in einem Schöpflöffel aufschlagen und ins kochende Wasser gleiten lassen. Bei schwacher Hitze in 5 Minuten pochieren. Mit einem Schaumlöffel entnehmen und auf dem Spinat anrichten.

4 Die Soße darüber verteilen, mit dem geriebenen Käse bestreuen und die Butter in Flöckchen daraufsetzen. Die Form auf die obere Schiene in den vorgeheizten Ofen schieben. Bei 220° (Stufe 5 im Gasherd) etwa 10 Minuten backen. Als Beilage Salzkartoffeln servieren.

Omelett auf Bauernart

300 g Kartoffeln
150 g Schinkenspeck
Salz
weißer Pfeffer
50 g Sauerampfer
8 Eier
Salz
40 g Margarine

1 Die geschälten Kartoffeln waschen, abtrocknen und in dünne Scheiben schneiden. Den Schinkenspeck fein würfeln und in einer Pfanne auslassen. Die Kartoffeln dazugeben und mit Salz und Pfeffer würzen. Unter ständigem Wenden in 7 Minuten helbraun braten.

2 Den Sauerampfer abspülen und abtropfen lassen. Dann in einen Topf geben, mit kochendem Wasser übergießen, abtropfen lassen und schneiden. Den grob geschnittenen Sauerampfer mit den Kartoffeln mischen.

3 Für die Omeletts jeweils 2 Eier in einer Schüssel mit Salz verquirlen. 10 g der Margarine in einer Pfanne erhitzen und die Pfanne vom Herd nehmen. Die verquirlten Eier in die Pfanne geben und ein Viertel der Kartoffelmasse darüber verteilen. Die Pfanne wieder auf den Herd setzen, um die Eimasse stocken zu lassen.

4 Die gestockte Masse mit einer Gabel nach oben schieben und die Pfanne hin und wieder schütteln, damit das Omelett nicht anhängt. Wenn die Unterseite fest ist, das Omelett mit der Gabel zusammenklappen und sofort zum Servieren auf einen Teller gleiten lassen. Die restlichen Omeletts auf die gleiche Weise zubereiten. Als Beilage eignet sich ein rote Bete-Salat.

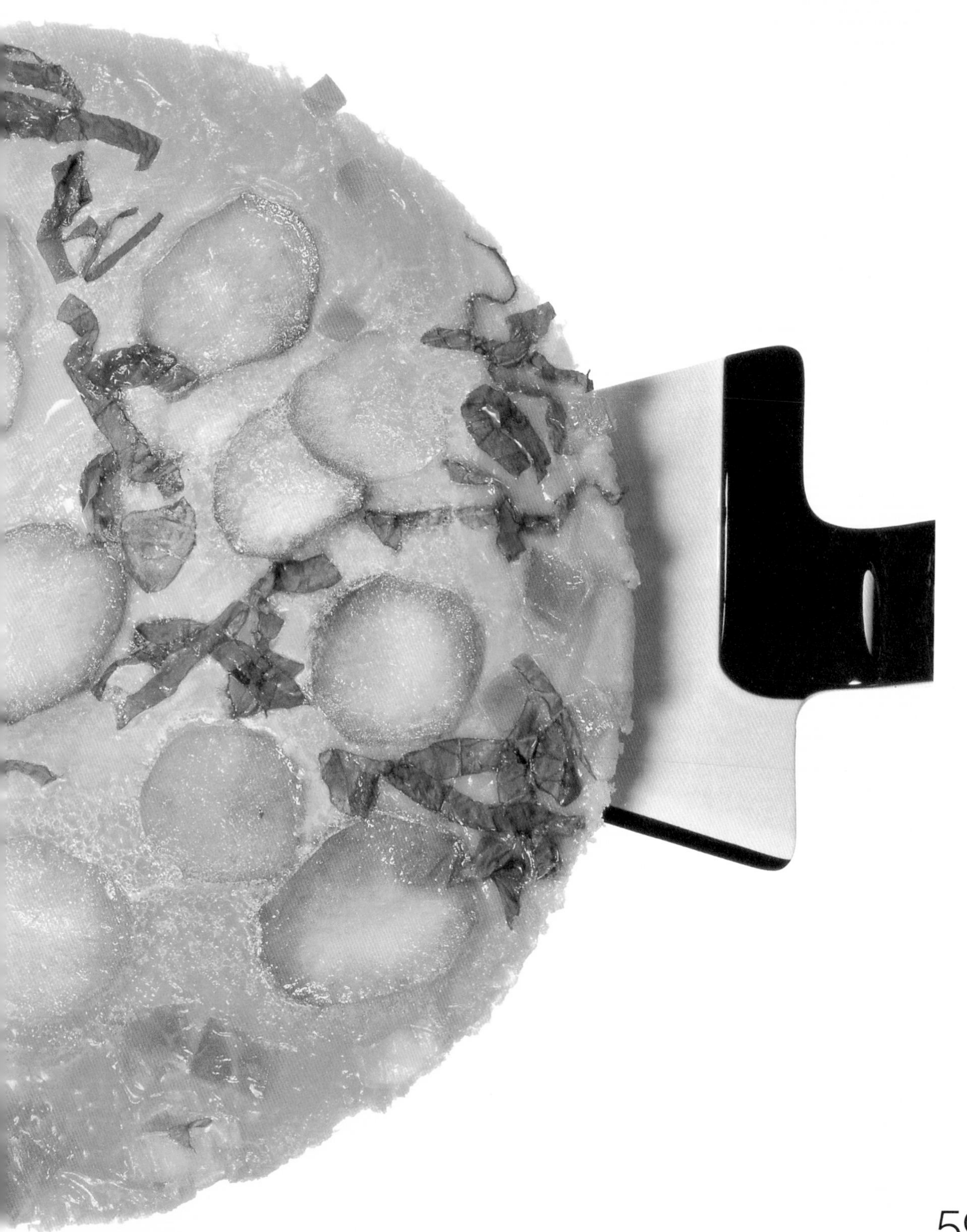

Gemüserisotto

1 EL Maiskeimöl
1 rote Zwiebel
1 Packung (250 g) Wildreis
350 ml Hühnerbrühe
250 ml Weißwein
500 g Gemüse der Saison, z.B. Staudensellerie, Zucchini, Paprika, Broccoli
2 EL Butter
Salz
Pfeffer aus der Mühle
1 EL Olivenöl
1 - 2 Zwiebeln
2 Knoblauchzehen
Zucker

1 Das Öl in einem Topf erhitzen und die abgezogene, fein gewürfelte Zwiebel darin andünsten. Dann den Wildreis glasig werden lassen. Die Brühe und den Wein hinzufügen und alles einmal aufkochen. Dann etwa 20 Minuten bei schwacher Hitze in einem geschlossenen Topf quellen lassen.

2 Inzwischen das geputzte, gewaschene und sehr feingeschnittene Gemüse in kochendem Salzwasser kurz blanchieren. Das gut abgetropfte Gemüse und die Butter unter den Reis rühren und den Risotto mit Salz und Pfeffer abschmecken.

3 Für die Soße das Olivenöl erhitzen. Die Zwiebeln und die Knoblauchzehen abziehen, fein würfeln und im heißen Öl andünsten. Die Soße mit Salz, Pfeffer und Zukker abschmecken und über den Risotto geben.

Hammelpilaw

500 g Hammelfleisch
2 rote Paprikaschoten
4 EL Olivenöl
250 g Reis
100 g Rosinen
500 ml (1/2 l) Rinderfond
2 g Safran
Ingwerpulver
Salz
Pfeffer
einige Orangenfilets

1 Das Fleisch unter kaltem Wasser abspülen, abtupfen und in Stücke schneiden. Die Paprikaschoten putzen, waschen und würfeln.

2 Das Olivenöl erhitzen und die Hammelstükke darin anbraten. Die Paprikawürfel hinzugeben und mitbraten.

3 Den Reis und die Rosinen unterrühren. Dann die Brühe angießen und mit Safran, Ingwerpulver, Salz und Pfeffer würzen. Den Pilaw etwa 30 Minuten bei schwacher Hitze kochen lassen und vor dem Servieren mit den Orangenfilets garnieren.

Kalbsorangenbraten

50 g Margarine
700 g Kalbfleisch
Salz, Pfeffer
geriebene Muskatnuß
zerlassene Butter
1/8 l Fleischfond
2 Möhren
1 Scheibe Sellerie
1 Stange Lauch
1 Glas (2 cl) Cognac
Saft und Schale von
2 Orangen
1/8 l herber Weißwein
2 Orangen
20 g Butter
Pimpinelle zum
Garnieren

1 Etwas Margarine in einer kleinen Pfanne zerlassen. Das Fleisch waschen und mit Haushaltspapier abtupfen. Dann mit Salz, Pfeffer und Muskatnuß einreiben und mit heißem Fett bestreichen.

2 Ein Bratrost einfetten. Den Fleischfond in die Fettpfanne geben. Die Möhren, den Sellerie und den Lauch waschen, kleinschneiden und in die Brühe geben. Das Fleisch auf den Rost über die Fettpfanne legen und zusammen in den vorgeheizten Ofen schieben. Bei 220 ° (Gasherd Stufe 5) etwa 80 Minuten braten.

3 10 Minuten vor Ende der Bratzeit den Cognac über das Fleisch gießen und nach dem Garen Fleisch aus dem Ofen nehmen und warm stellen. Den Bratfond loskochen, durchsieben und mit der abgeriebenen Orangenschale, dem Orangensaft und dem Wein erwärmen.

4 Die Orangen schälen, filetieren und die Kerne entfernen. Etwas Fett in einem Topf erhitzen und die Orangenfilets darin 5 Minuten schwenken. Das warmgestellte Fleisch in Scheiben schneiden, auf einer Platte anrichten und rundum mit den Orangenfilets und der Pimpinelle garnieren. Die Soße dazu getrennt reichen.

Exotisches Reisfleisch

250 g Langkornreis
2 EL Öl
3/4 l Wasser
Salz
1 Zwiebel
50 g Margarine
500 g Gehacktes, halb und halb
4 EL Tomatenketchup
Pfeffer
300 g Champignons
1 Banane
4 Scheiben Ananas (aus der Dose)
1 Becher Crème fraîche
1/8 l Sahne
1 TL Curry

1 Den Reis in einem Sieb abspülen und das Öl in einem Topf erhitzen. Den Reis in das Öl geben und unter Rühren 3 Minuten lang andünsten. Das Wasser hinzugeben, salzen und den Reis 20 Minuten gar ziehen lassen. Während dieser Kochzeit die geschälte Zwiebel feinhacken; die Hälfte der Margarine in einem Topf erhitzen und die feingehackte Zwiebel 2 Minuten hellgelb dünsten. Das Hackfleisch dazugeben und unter Rühren 5 Minuten braten. Den Tomatenketchup einrühren und die Fleischmasse mit Salz und Pfeffer pikant abschmecken.

2 Die geputzten Champignons waschen, abtropfen lassen und in Scheiben schneiden. Die restliche Margarine in einem Topf erhitzen und die Champignons 8 Minuten darin braten sowie mit Salz und Pfeffer würzen. Den Reis mit der Fleischmasse mischen und abwechselnd mit den Champignons in eine feuerfeste Form füllen.

3 Die geschälte Banane in Scheiben schneiden und auf den Reis legen. Ananas abtropfen lassen und auf die Bananenscheiben legen. Die Crème fraîche mit der Sahne, dem Curry und Salz verrühren und über den Auflauf geben. Die Form in den vorgeheizten Backofen geben und 30 Minuten bei 200 ° (Stufe 4 im Gasherd) backen.

Paprikafleisch

4 Zwiebeln
2 grüne Paprika
1 rote Paprika
50 g Schweineschmalz
700 g Gulasch
2 EL Tomatenmark
1/4 l heißer Fleischfond
1 EL Paprika, edelsüß
Salz
1/8 l Sahne

1 Die geschälten Zwiebeln in Ringe schneiden. Die Paprikaschoten halbieren, waschen und abtropfen lassen. Nach dem Entkernen in Streifen schneiden.

2 In einem Topf das Schweineschmalz erhitzen und die Fleischwürfel darin 5 Minuten rundherum anbraten. Die Zwiebelringe zufügen und 5 Minuten mitrösten. Dann die Paprikastreifen zugeben. Das Tomatenmark mit der Fleischbrühe verrühren und dazugießen.

3 Das Ganze mit dem Paprika und Salz würzen und anschließend bei kleiner Hitze 60 Minuten schmoren lassen. Zum Schluß die Sahne unterrühren und in einer vorgewärmten Schüssel servieren.

Hackfleischtopf mit Thymian

50 g Schinkenspeck
20 g Margarine
500 g Hackfleisch
2 Zwiebeln
100 ml Rotwein
3 EL Tomatenmark
Salz
Pfeffer
1 TL gerebelter Thymian
Margarine zum Einfetten
300 g Sauerkraut
30 g geriebener Käse
20 g Butter

1 Den Speck klein würfeln und in einer großen Pfanne auslassen. Etwas Margarine darin erhitzen. Das Hackfleisch und die geschälten, gewürfelten Zwiebeln darin unter Rühren 10 Minuten rösten.

2 Dann mit dem Rotwein ablöschen und das Tomatenmark einrühren. Mit Salz, Pfeffer und Thymian würzen. Eine feuerfeste Form gut einfetten und die Hälfte der Fleischmasse eingeben. Dann das Sauerkraut darauf verteilen. Die restliche Fleischmenge, den geriebenen Käse und die Butter in Flöckchen über das Kraut geben.

3 Das Ganze in den vorgeheizten Backofen auf die mittlere Schiene stellen. Bei einer Hitze von 200 ° (Stufe 4 im Gasherd) in ca. 40 Minuten gar werden lassen. Als Beilage werden Röstkartoffeln serviert.

Burgunder-Braten

700 g Rinderschmorbraten
Salz
Pfeffer
Paprika, rosenscharf
Knoblauchsalz
40 g Margarine
50 g Schinkenspeck
100 ml warmes Wasser
200 g Pfifferlinge
20 g Speisestärke
100 ml Burgunder
1 EL Schnittlauchröllchen

1 Das Fleisch waschen, abtupfen und mit Salz, Pfeffer, Paprika und Knoblauchsalz würzen. Dann in heißer Margarine rundherum anbraten. Den gewürfelten Speck in einem Topf glasig werden lassen, warmes Wasser zugießen und 1 Stunde lang schmoren lassen.

2 Die geputzten und gewaschenen Pfifferlinge dazugeben und noch 30 Minuten schmoren lassen. Dann den Braten herausnehmen und warm stellen.

3 Den Bratensaft mit etwas Wasser bis zu gut 1/4 l auffüllen. Die in kaltem Wasser angerührte Speisestärke dann einrühren. Nach dem Aufkochen die Soße mit Wein abschmecken. Das Fleisch in Scheiben schneiden und mit der Soße übergießen. Vor dem Servieren mit gehacktem Schnittlauch bestreuen.

Poularde in Sojasoße

4 Hähnchenbrustfilets
2 TL Speisestärke
2 EL Sherry
2 EL Sojasoße
1 Eiweiß
50 g Öl
300 g Sojabohnenkeimlinge
50 g gedünstete Möhrenscheiben
100 g gedünstete Wirsingstreifen
2 EL Sojasoße
etwas Ingwer
Pfeffer

1 Das Fleisch in 3 cm große Scheiben schneiden. Die Speisestärke mit dem Sherry und der Sojasoße in einer Schüssel glattrühren. Das Eiweiß mit einer Gabel etwas verquirlen und in die Beize einrühren. Dann das Hühnerfleisch hinzugeben und 30 Minuten ziehen lassen.

2 4 Eßlöffel von dem Öl in einem Topf erhitzen und das abgetropfte Gemüse kurz unter Rühren erwärmen. Mit der Sojasoße, dem Ingwer und etwas Pfeffer würzen. Das restliche Öl in einer Pfanne erhitzen und das abgetropfte Hühnerfleisch in 5 Minuten rundherum goldbraun braten. Dann das Fleisch zum Gemüse geben und kurz unter Rühren braten. Auf einem Teller anrichten und als Beilage China-Reisnudeln servieren.

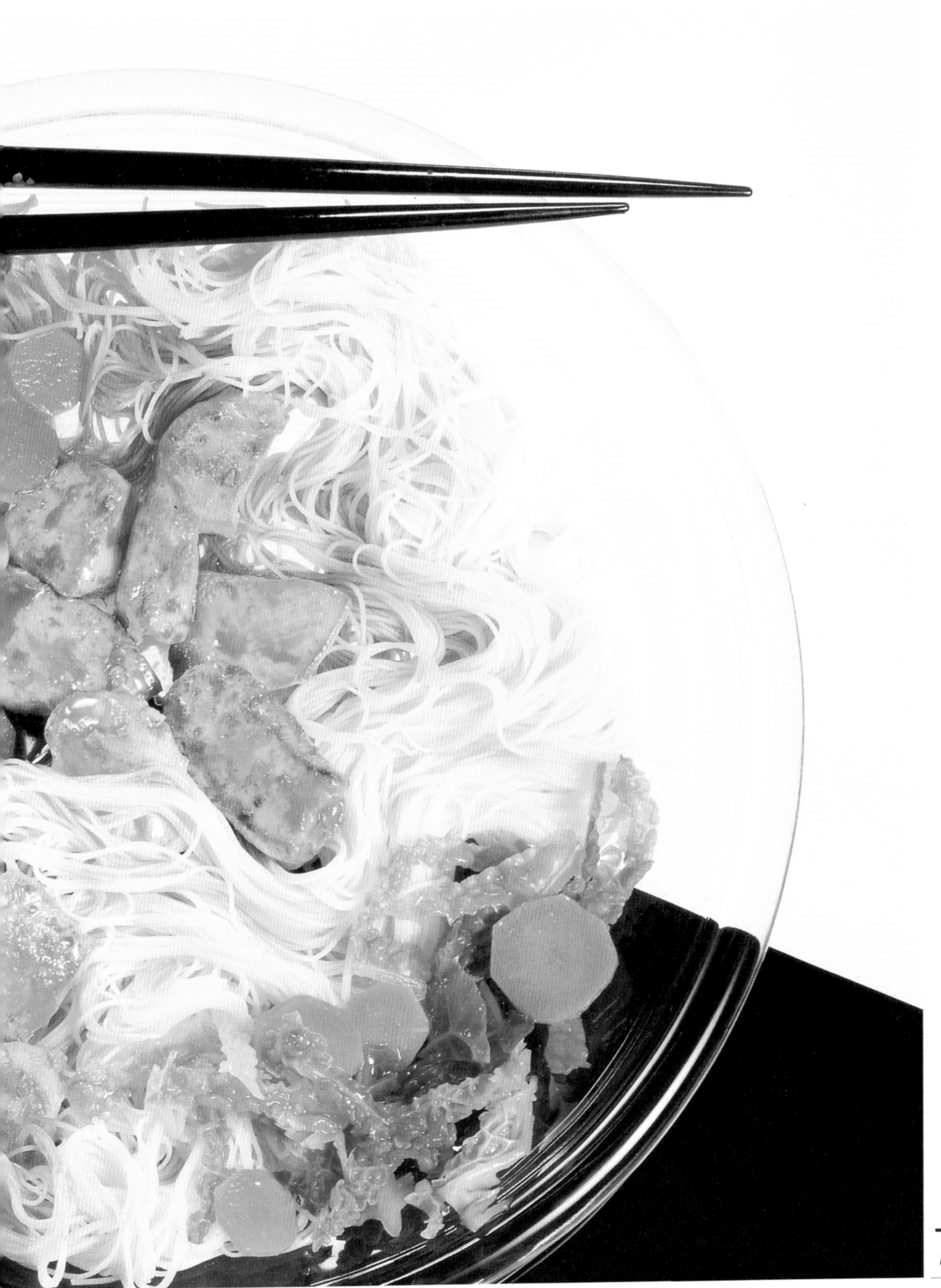

Hähnchen mit Schalotten

800 g Hähnchen-brustfilets
6 EL Olivenöl
4 Schalotten
2 Knoblauchzehen
Salz
125 g Schinkenspeck
1 grüne und 1 gelbe Paprikaschote
3 Tomaten
8 grüne Oliven
50 g gedünstete Champignons
1/2 TL zerriebener Oregano
weißer Pfeffer
150 g Reis
1 l Wasser
1 kleine Dose feine Erbsen (280 g)
2 EL gehackte Petersilie

1 Das Fleisch in 3 cm lange Streifen schneiden. Das Öl in einem Topf erhitzen und das Fleisch kurz anbraten. Dann die geschälten Schalotten in Würfel schneiden und die Knoblauchzehen mit Salz zerdrücken und beides dazugeben. Das Ganze dann 3 Minuten weiterbraten.

2 Den Schinken sowie die halbierten, geputzten und gewaschenen Paprikaschoten in Streifen schneiden und dazugeben. Ebenfalls die gehäuteten Tomaten - ohne Stengelansätze und geachtelt - mitvermischen.

3 Die Oliven und die Champignons in Scheiben schneiden und zu dem Gemüse geben. Mit Oregano, Pfeffer und Salz würzen und zugedeckt 15 Minuten schmoren lassen.

4 Den Reis unter fließendem Wasser gründlich abspülen und in einen Topf mit kochendem Wasser geben. Dann 20 Minuten bei schwacher Hitze garen lassen, abgießen und wieder in den Topf geben. Die abgetropften Erbsen untermischen und vorsichtig erwärmen. Dann mit dem Fleisch zusammen servieren und mit Petersilie garnieren.

Hühnercurry

1 vorbereitete Poularde
1 Bund Suppengrün
Salz
1 l Wasser
40 g Butter
30 g Mehl
1/2 l Hühnerbrühe
1/8 l Milch
1 EL Curry
3 EL Ananassaft
1 EL Zitronensaft
2 Scheiben Ananas (aus der Dose)
1 Banane
20 g Butter
50 g blättrige Mandeln
Zitronenmelisse

1 Die Poularde waschen und mit dem geputzten, gewaschenen und kleingeschnittenen Suppengrün in einen Topf mit gesalzenem Wasser geben. Dann in 45 Minuten gar kochen und die Poularde aus der Brühe nehmen. Die Haut der Poularde abziehen und das Fleisch in mundgerechte Stücke schneiden.

2 Etwas Butter in einem Topf erhitzen und das Mehl unter ständigem Rühren unterziehen. Nach kurzem Anziehen die Mehlschwitze mit der heißen Brühe ablöschen, die Milch dazugeben und mit Salz, Curry, Ananas- und Zitronensaft abschmecken. Die abgetropften Ananasscheiben in Stücke schneiden und mit dem Hühnerfleisch in der Soße heiß werden lassen.

3 Die geschälte Banane in Scheiben schneiden und kurz in einer Pfanne mit etwas erhitzter Butter bräunen. Die blättrigen Mandeln auch nur kurz mitbraten. Das Curryfleisch in einer vorgewärmten Schüssel anrichten und die Bananenscheiben mit den Mandeln darauf verteilen. Mit Zitronenmellisse garnieren. Als Beilage Risotto oder Chinakohl-Salat servieren.

Huhn mit Zimtgeschmack

1 küchenfertige Poularde
Salz
Pfeffer
100 g Butter
2 rote Zwiebeln
1/8 l Rindfleischfond
2 Knoblauchzehen
6 enthäutete Tomaten
1/4 l Weißwein
1 EL Tomatenmark
250 g Staudensellerie
400 g Nudeln
2 EL geriebener Käse
1/2 TL gemahlener Zimt

1 Die Poularde waschen, abtrocknen und in portionsgroße Stücke teilen. Dann mit Salz und Pfeffer einreiben. In einer Kasserolle etwas Butter erhitzen und das Hühnerfleisch von allen Seiten darin braun braten. Die Zwiebeln abziehen, in Scheiben schneiden, zu dem Fleisch geben und den Rindfleischfond hinzufügen. Bei kleiner Hitze ca 20 Minuten schmoren lassen.

2 Für die Soße Knoblauchzehen abziehen, feinhacken und mit Salz verreiben. Die Tomaten in Scheiben schneiden. Den Wein dann mit den Tomatenscheiben und dem Knoblauch zum Kochen bringen. Danach das Tomatenmark einrühren.

3 Den Staudensellerie putzen, waschen und in feine Streifen schneiden. Zu dem Tomatenmark, den Tomatenscheiben und dem Knoblauch in den Wein geben. Mit Salz und Pfeffer würzen und bei kleiner Hitze etwa 15 Minuten kochen lassen. Inzwischen die Nudeln bißfest kochen.

4 Das Fleisch in eine vorgewärmte Schüssel füllen und den Bratenfond in die Tomatensoße gießen. Einen Eßlöffel Käse in die Soße rühren.

5 Die mit Zimt bestreuten Poulardenstücke auf den Nudeln anrichten. Die Soße darübergießen und den restlichen Käse darauf verteilen. Als Beilage eignet sich ein Zucchini-Tomaten-Salat

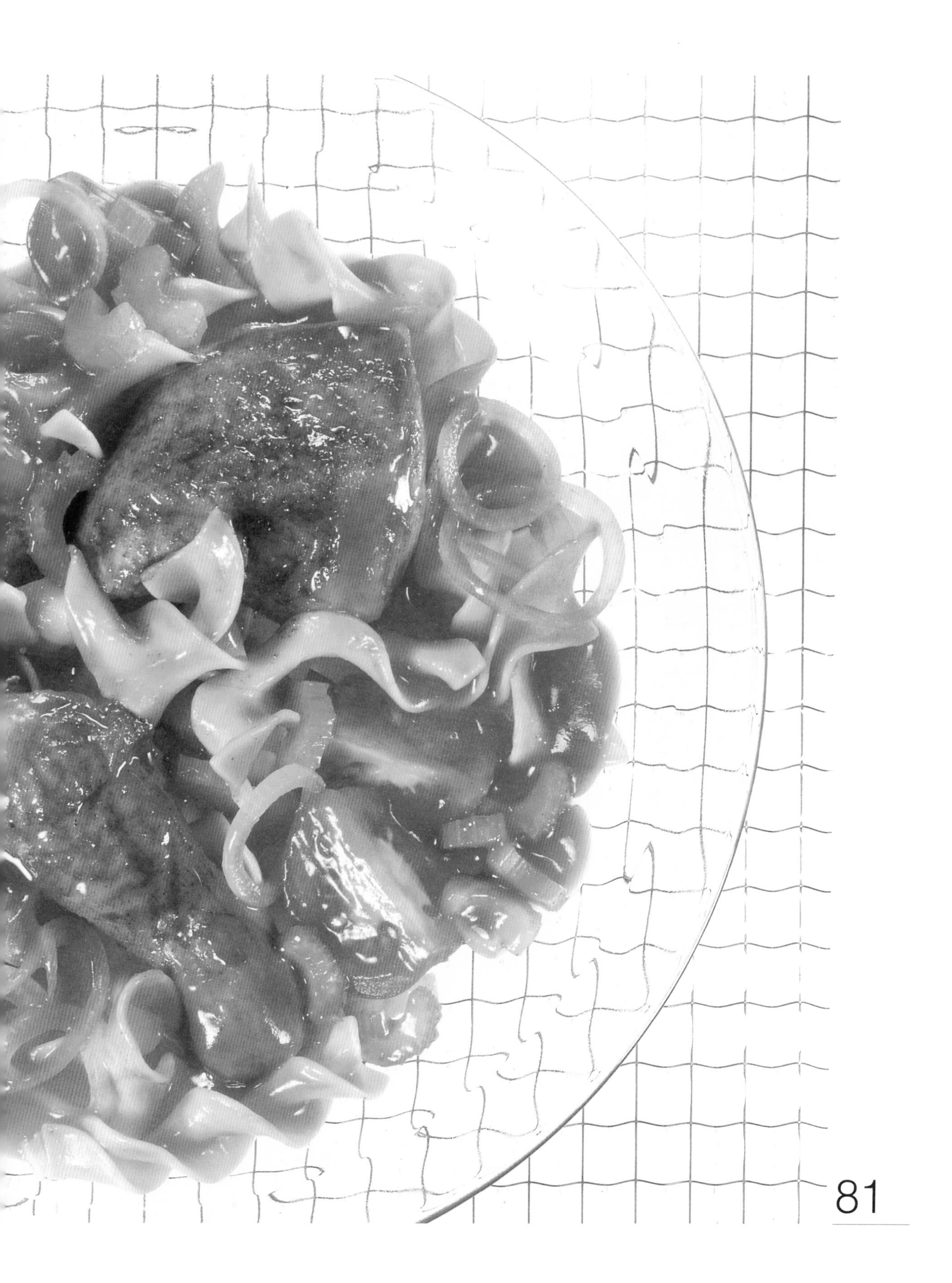

Geflügelpilaw

2 Möhren
2 Petersilienwurzeln
1 Stange Staudensellerie
1 Knoblauchzehe
1 küchenfertige Poularde
Salz
125 g Butter
500 g Langkornreis
1 EL gerebeltes Basilikum
Pfeffer

1 Die Möhren und die Petersilienwurzeln putzen, schrapen und waschen. Den Staudensellerie putzen und waschen. Das Gemüse in kleine Stücke schneiden und die abgezogene Knoblauchzehe halbieren. Auch die Poularde waschen, in Stücke teilen und mit dem vorbereiteten Gemüse in etwa 1 l Salzwasser knapp gar kochen lassen. Das Hühnerfleisch von den Knochen lösen und in kleine Stücke schneiden. Die Brühe durch ein Sieb gießen und 3/4 l davon abmessen.

2 Etwas Butter in einer Kasserolle zerlassen, den Reis hineingeben und unter ständigem Rühren hellgelb rösten. Das Geflügelfleisch mit dem Basilikum hinzufügen und mit Salz und Pfeffer würzen. Die abgemessene Brühe dann dazugießen und alles zum Kochen bringen.

3 Anschließend die Hitze reduzieren und den Deckel auflegen. Bei schwacher Hitze das Gericht garen lassen, bis der gesamte Reis die Flüssigkeit aufgenommen hat. Den Geflügelpilaw in einer vorgewärmten Schüssel servieren. Als Beilage empfehlen wir Fenchel-Orangen-Salat.

Hähnchenbrustfilets auf Lauchsoße

4 Hähnchenbrustfilets
Salz
geschroteter Pfeffer
1 Schalotte
1 Stange Lauch
100 g Butter
2 EL trockener Wermut
1/4 l Weißwein
1/8 l Sahne
125 g Crème fraîche

1 Die Filets unter kaltem Wasser abspülen, trockentupfen und mit Salz und Pfeffer bestreuen. Die abgezogene Schalotte würfeln und den Lauch putzen und gründlich waschen. Dann in Streifen schneiden und in kochendem Wasser kurz blanchieren.

2 In der zerlassenen Butter das Fleisch und die Schalotten goldbraun anbraten. Anschließend das Fleisch herausnehmen und warm stellen. Den Bratensatz mit Wermut und Weißwein ablöschen, die Sahne und die Crème fraîche unterziehen und auf die gewünschte Konsistenz einkochen.

3 Den Lauch zugeben und einige Minuten darin ziehen lassen. Die Soße dann mit Salz und Pfeffer abschmecken. Danach die Filets auf der Soße anrichten. Als Beilage empfehlen wir Petersilienkartoffeln.

Thunfisch auf provenzalische Art

4 Thunfischsteaks
Salz
weißer Pfeffer
Saft 1/2 Zitrone
5 EL Olivenöl
1 Zwiebel
2 Knoblauchzehen
500 g Tomaten
1/8 l Weißwein

1 Die Thunfischsteaks kalt abspülen, abtupfen und dann mit Salz und Pfeffer einreiben. Anschließend mit Zitronensaft beträufeln.

2 Zwei Eßlöffel Olivenöl in einer Pfanne erhitzen und den Fisch darin braten. Die geschälte Zwiebel hakken und in einem Topf mit dem restlichen heißen Olivenöl anbraten. Die Knoblauchzehen schälen und mit Salz zerdrükken. Die Tomaten häuten und vierteln. Aus den Vierteln die Stengelansätze herausschneiden und anschließend würfeln.

3 Die Tomatenviertel mit dem Knoblauch in den Topf geben und den Weißwein angießen. Das Ganze 10 Minuten dünsten lassen und die Soße zum Fisch servieren. Als Beilage eignen sich Petersilienkartoffeln.

Forelle blau auf Gemüsestreifen

4 küchenfertige Forellen
(je etwa 200 g)
375 ml (3/8 l) Weißwein
Salzwasser
1 Zwiebel
5 EL Essig
2 Nelken
1 Lorbeerblatt
5 Pfefferkörner
2 Möhren
100 g Sellerie
1 kleine Stange Lauch
100 g Butter
Salz
Pfeffer
eventuell Oregano oder Thymian zum Garnieren

1 Den Fisch unter fließendem, kaltem Wasser abspülen. Den Weißwein mit Salzwasser auf 1 l Flüssigkeit auffüllen. Die Zwiebel abziehen und vierteln. Dann mit dem Essig, den Nelken, dem Lorbeerblatt und den Pfefferkörnern in die Flüssigkeit geben und das Ganze zum Kochen bringen.

2 Nach einer Kochzeit von 2 bis 3 Minuten die Forellen hinzufügen und erneut zum Kochen bringen. Dann in einem geschlossenen Topf die Forellen 15 Minuten gar ziehen lassen.

3 Inzwischen das Gemüse putzen, die Möhren und den Sellerie schälen und alle Zutaten in Streifen schneiden. Anschließend das Gemüse in Butter dünsten, würzen, mit Oregano oder Thymian garnieren und zu dem Fisch servieren. Als Beilage schmecken Bandnudeln vorzüglich.

Meeresfrüchte mit Nudeln

1 1/2 l Wasser
Salz
250 g Makkaroni
1 Dose (140 g) Krabben
1 Glas (80 g) geräucherte Miesmuscheln
6 Riesengarnelen
1 Zwiebel
4 EL Öl
30 g Mehl
3/8 l Fleischfond
1/8 l Sahne
Pfeffer
1 EL Zitronensaft
etwas zerriebener Salbei
Estragon
1 EL gehackte Petersilie

1 Das Wasser mit Salz in einem Topf aufkochen. Die Makkaroni in das kochende Wasser geben und 20 Minuten darin garen lassen. Die Krabben und die Miesmuscheln auf einem Sieb abtropfen lassen. Die Garnelen säubern

2 Die geschälte Zwiebel feinhacken und etwas Öl in einem Topf erhitzen. Die Zwiebelwürfel 3 Minuten darin rösten. Dann das Mehl darüberstäuben und unter Rühren durchschwitzen lassen. Mit dem Fleischfond aufgießen und dann 5 Minuten kochen lassen.

3 Als nächstes die Sahne einrühren und dann die Krabben, die Miesmuscheln und die Garnelen zugeben. Alles mit etwas Salz, Pfeffer, dem Zitronensaft, dem Salbei und Estragon würzen.

4 Die Nudeln auf ein Sieb geben und mit kaltem Wasser abschrecken, abtropfen lassen und auch in den Topf geben. Das Ganze 5 Minuten durchziehen lassen. In einer Schüssel anrichten und mit Petersilie bestreuen.

Kabeljau-Geschnetzeltes

500 g Kabeljaufilet
Saft einer Zitrone
1 EL Mehl
Salz
weißer Pfeffer
3/4 l Fleischfond
1 Zucchini
200 g Frühlingszwiebeln
30 g Speisestärke
3 EL Sojasoße
1/8 l saure Sahne
3 EL Öl

1 Die Kabeljaufilets auf eine Platte legen und mit Zitronensaft beträufeln. 10 Minuten durchziehen lassen, trockentupfen und dann in Streifen schneiden. Das Mehl mit Salz und Pfeffer auf einem Teller mischen und anschließend die Fischstreifen darin wenden. Den Fleischfond in einem Topf erhitzen.

2 Die gewaschene Zucchini in Streifen schneiden und kurz bei mittlerer Hitze in einem Topf garen. Die geputzten Frühlingszwiebeln waschen, abtropfen lassen und in Röllchen schneiden. Erst 5 Minuten vor Ende der Garzeit hinzugeben.

3 Die Speisestärke mit etwas Wasser verquirlen und die Soße damit binden. Dann kurz aufkochen und mit Sojasoße abschmekken. Anschließend die saure Sahne in die Soße einrühren.

4 In einer Pfanne das Öl erhitzen. Die Fischfiletstreifen darin 10 Minuten knusprig braten. Den Fisch und die Soße getrennt servieren. Als Beilage eignet sich Reis.

Goldbarschrouladen

4 Goldbarschfilets, je 100 g
2 EL Zitronensaft
150 g Champignons (aus der Dose)
1 Zwiebel
30 g Margarine
150 g Krabben
Salz
Pfeffer
1 TL Mehl
2 EL Crème fraîche
2 EL gehackte Petersilie
etwas Butter

1 Die Fischfilets mit Wasser abspülen und trockentupfen; dann auf eine Platte legen und mit Zitronensaft beträufeln.

2 Für die Füllung die abgetropften Champignons in Scheiben schneiden. Die geschälte Zwiebel hakken und in einem Topf etwas Margarine erhitzen. Die Zwiebel darin glasig werden lassen. Anschließend die Krabben und Champignons hinzugeben und mit Salz und Pfeffer würzen. Das Mehl darüberstäuben und unter vorsichtigem Rühren 2 Minuten lang durchschwitzen. Den Topf vom Herd nehmen und die Crème fraîche einrühren. Mit Petersilie bestreuen und abschmecken.

3 Die Filets salzen und die Füllung darauf verteilen. Anschließend werden sie zusammengerollt und mit Holzspießchen festgesteckt. Eine feuerfeste Form mit etwas Butter einfetten und die Fischrouladen hineinlegen. Die restliche Butter in Flöckchen darauf verteilen und die Form in den vorgeheizten Backofen schieben.

4 Bei 200 ° (Gasherd Stufe 4) 20 Minuten garen, Fisch aus der Form nehmen, die Holzspieße entfernen und auf Tellern anrichten. Als Beilage servieren Sie Wildreis.

Heilbuttsteaks mit Zitronensoße

2 flache Heilbuttscheiben (je 400 g)
Salz
Pfeffer
Öl zum Einfetten
3 Tomaten
2 Zwiebeln
50 g Butter
50 g Weißbrotkrumen
1 EL gehackte Petersilie
1/8 l kochendes Wasser
100 ml Zitronensaft
abgeriebene Schale 1/2 Zitrone
100 g Crème fraîche
1 Zitrone

1 Die Heilbuttschnitten waschen, mit Haushaltspapier abtupfen und auf eine Platte legen. Eine Scheibe auf einer Seite reichlich mit Salz und Pfeffer bestreuen und sie dann, mit der gewürzten Seite nach unten, in eine mit Öl eingeriebene Auflaufform legen.

2 Die Tomaten mit kochendem Wasser überbrühen, abschrecken, abziehen und kleinschneiden. Die geschälten Zwiebeln kleinhacken. In einem Topf etwa 20 g Butter zerlassen und mit den Brotkrumen, den Tomaten, den Zwiebeln und der Petersilie mischen. Dann mit Pfeffer und Salz abschmecken.

3 Die Masse auf dem Fisch verteilen und die zweite Scheibe darauf legen. Dann mit Salz und Pfeffer würzen und mit kochendem Wasser angießen. Die Form in den vorgeheizten Backofen schieben und bei 200 ° (Gasherd Stufe 4) 30 Minuten backen. Nach der Backzeit Fisch aus dem Ofen nehmen und warm stellen.

4 Für die Soße den Zitronensaft und die Schale mit Pfeffer und Crème fraîche in einem Topf mischen. Die Masse im Wasserbad erhitzen. Anschließend die Zitrone heiß abwaschen und in Scheiben schneiden. Den Fisch auf einer Platte anrichten und mit den Zitronenscheiben sowie der Soße servieren.

Heringsauflauf

6 Salzheringe
3/8 l Milch
Butter zum Einfetten,
50 g Butter
500 g ausgekühlte Pellkartoffeln
4 Eigelb
Salz
Pfeffer
Piment
geriebene Muskatnuß
2 Zwiebeln
4 Eiweiß
2 EL gehackte Petersilie
2 EL Semmelbrösel
4 EL geriebener Käse
20 g Butter

1 Die ausgenommenen Heringe entgräten und den Kopf sowie den Schwanz abschneiden. Fische in eine Schüssel legen und unter fließendes kaltes Wasser stellen. Sollten die Heringe sehr salzig sein, werden sie 10 Minuten in Milch gelegt. Nach dem Trockentupfen die Heringe in die gefettete Auflaufform legen.

2 Die Pellkartoffeln durch eine Presse geben. In einer Schüssel 40 g Butter und die Eigelb schaumig rühren. Die Gewürze und die geriebenen Kartoffeln dann untermischen. In einer Pfanne die geschälten und gehackten Zwiebeln in der restlichen Butter goldbraun anbraten und unter die Masse rühren.

3 Die Eiweiß steif schlagen und mit der Petersilie unter die Kartoffelmasse ziehen. Diese dann in die Form füllen und mit den Semmelbröseln sowie dem Käse bestreuen. Anschließend Butterflöckchen über die Masse verteilen und in den vorgeheizten Backofen schieben. Bei 200 ° (Gasherd Stufe 4) in 20 Minuten aufgehen lassen. Als Beilage eignet sich Eisbergsalat.

Chiligarnelen im Reisring

1 Zwiebel
1 EL Öl
3 Tomaten
300 g Garnelen
300 g weiße Bohnen (aus der Dose)
etwas Knoblauchsalz
1/2 TL Chilipulver
1 TL Oregano
etwas gemahlener Kümmel
Dill

1 Die Zwiebel schälen und fein würfeln. Dann in einem Topf in heißem Öl goldgelb braten. Die Tomaten waschen und mit heißem Wasser überbrühen, abschrecken. Anschließend die Haut abziehen und würfeln.

2 Die Tomatenwürfel mit den Garnelen, den abgetropften Bohnen und den Gewürzen zu den Zwiebeln geben und gut verrühren. 10 Minuten leicht ziehen lassen, bis die Garnelen weich sind. Dann die Chiligarnelen in einem Reisrand als Beilage servieren.

4 Desserts

4 Desserts

Der krönende leichte Abschluß eines guten Menüs, je nach Jahreszeit beliebig variiert.

Die geschmackvoll präsentierten Vorschläge eignen sich auch als angenehme Schleckereien für zwischendurch.

Hier können Sie meisterhaft mit Formen und Farben kombinieren, mit ein wenig Phantasie läßt sich eine Menge machen.

Quarkauflauf

1 Dose (etwa 500 g) abgetropfte Aprikosen
Margarine zum Einfetten
1 EL gehackte Haselnüsse
40 g Margarine
75 g Zucker
2 Eigelb
abgeriebene Schale 1/2 Zitrone
250 g Speisequark
50 g Speisestärke
2 Eiweiß
1 EL Semmelbrösel
20 g Butter

1 Die Aprikosen in eine gut ausgefettete Auflaufform schichten und mit den gehackten Nüssen bestreuen.

2 Die Margarine mit dem Zucker und den Eigelb schaumig rühren. Danach die abgeriebene Zitronenschale, den Quark und die Speisestärke einrühren. Die Eiweiß steif schlagen und zum Schluß unterziehen.

3 Die Quarkmasse über die eingeschichteten Früchte füllen und mit den Semmelbröseln bestreuen. Dann mit Butterflöckchen belegen und die Form in den vorgeheizten Backofen schieben. Bei einer Temperatur von 200 ° (Stufe 4 im Gasherd) 40 Minuten backen.

Orangen-Safranreis

150 g Langkornreis
100 g Butter
1/2 l Wasser
Salz
1 Orange
50 g gehackte Mandeln
100 g Rosinen
100 g Zucker
1 Messerspitze
Safranpulver

1 Den Reis waschen und abtropfen lassen. Die Butter in einem Topf erhitzen und den Reis darin 4 Minuten unter Rühren andünsten. Das Wasser zugießen, salzen.

2 Die Orange schälen und das Fruchtfleisch in Stücke schneiden. Die Orangenstücke und die Mandeln zum Reis geben und etwa 20 Minuten bei kleiner Hitze quellen lassen. Bei Bedarf etwas heißes Wasser nachgießen.

3 Die Rosinen waschen und abtropfen lassen. Kurz vor Ende der Garzeit die Rosinen, den Zucker und den Safran hinzufügen, heiß servieren.

Grießpudding

3/4 l Milch
Salz
die abgeriebene Schale einer Zitrone
150 g Grieß
70 g Zucker
1/8 l Sahne
einige Erdbeeren

1 Die Milch mit Salz und der abgeriebenen Zitronenschale in einem Topf aufkochen. Den Grieß unter Rühren einstreuen und anschließend 10 Minuten bei geringer Hitze ebenfalls unter Rühren quellen lassen.

2 Den Zucker unterziehen, Masse kalt stellen. Während des Abkühlens ab und zu umrühren.

3 Die steif geschlagene Sahne unterheben; die Speise in Schälchen anrichten und mit den Erdbeeren servieren.

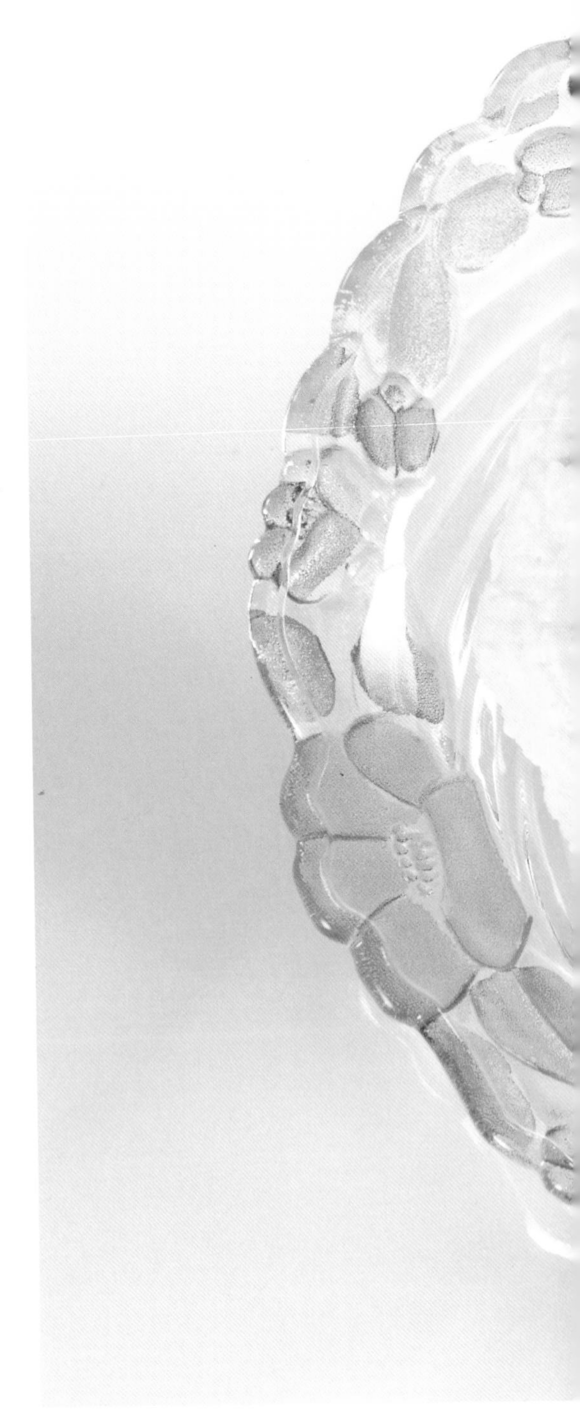

Heißer Obstsalat

500 g Orangen
300 g Äpfel
20 g Butter
50 g Landhonig
Saft einer Zitrone
300 g Himbeeren
3 Scheiben Ananas (aus der Dose)
20 g Walnußkerne
100 ml Himbeergeist

1 Die Orangen schälen und in Filets auslösen. Die geschälten Äpfel halbieren. Nach dem Entfernen der Kerngehäuse in Würfel schneiden.

2 In einem Topf Butter zerlassen und den Honig mit dem Zitronensaft einrühren und erhitzen. Dann die Apfelviertel darin andünsten.

3 Die Orangensfilets, die Himbeeren und die abgetropften Ananasstückchen zugeben, mischen und kurz erhitzen. Die grobgehackten Walnußkerne mit dem Himbeergeist unter das Obst geben. Als Beilage Vanilleeis servieren.

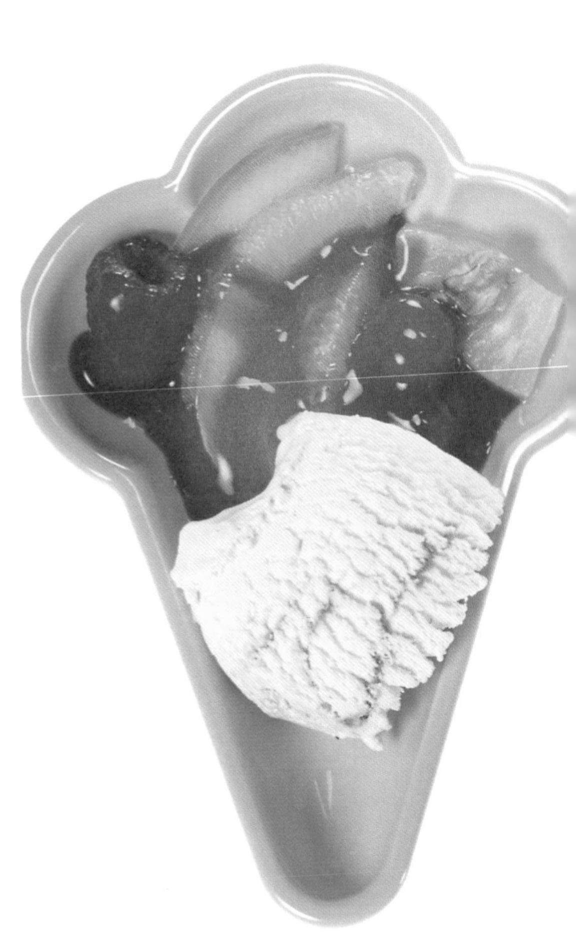

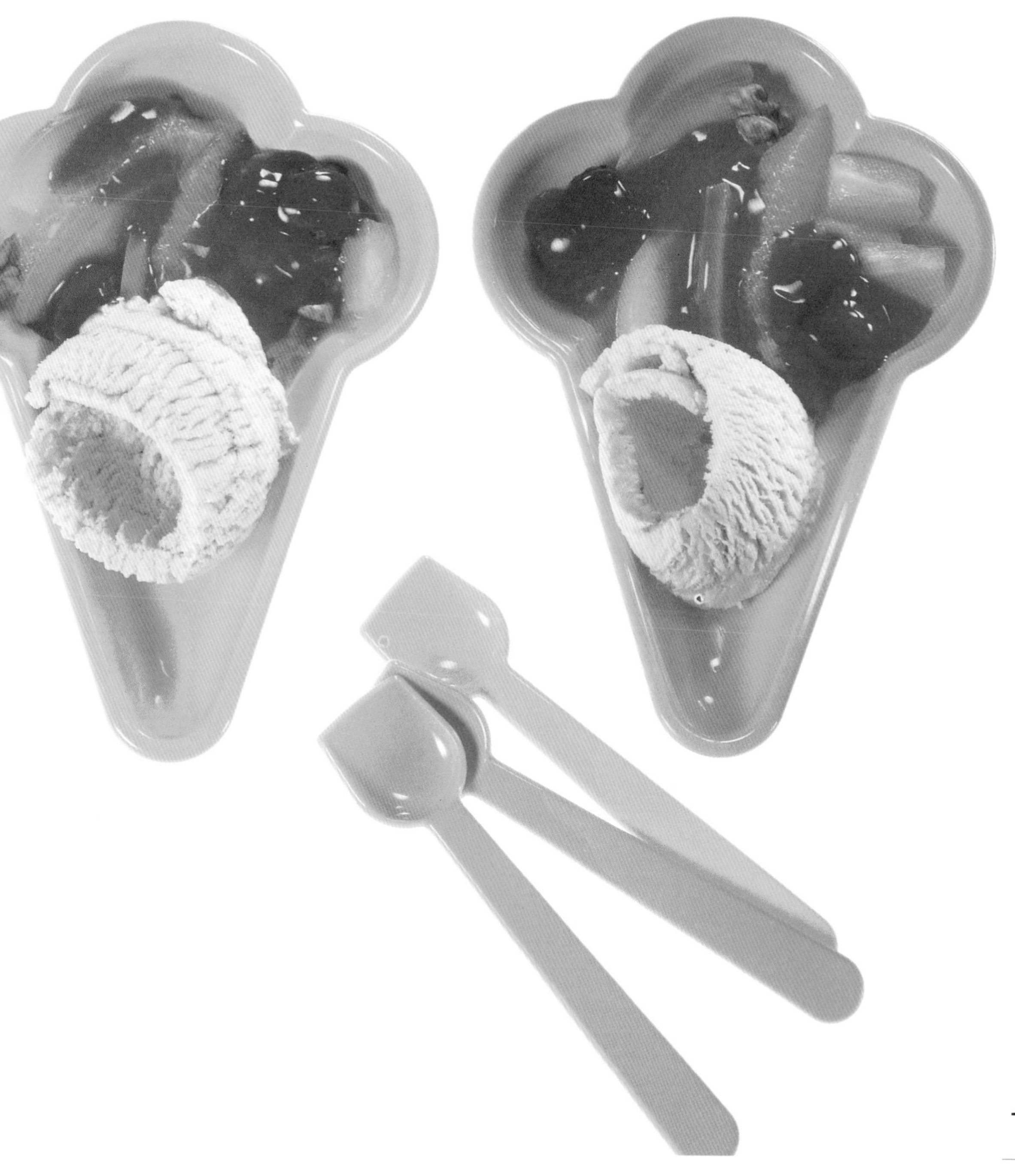

Gebackene Orangenscheiben

80 g Zwieback
4 Orangen
80 g Butter
1 Päckchen Vanillinzucker
etwas gemahlener Zimt
Zitronenmelisse

1 Den Zwieback mit einer Teigrolle zerdrücken. Von den geschälten Orangen das Weiße sorgfältig entfernen und dann die Früchte in 1 cm dicke Scheiben teilen.
Die Kerne entfernen und das Fruchtfleisch auf einem Teller in den Zwiebackbröseln wälzen.

2 In einer Pfanne etwas Butter erhitzen und die Orangenscheiben darin auf jeder Seite in 2 Minuten goldbraun backen.

3 Den Vanillinzucker und den Zimt in einer Tasse mischen und die gebackenen Orangenscheiben damit bestreuen, mit Mellise garnieren. Als Beilage heiße Vanillesoße reichen.

Himbeer-Soufflé

300 g Himbeeren
100 ml Himbeergeist
4 Eier
75 g Zucker
Salz
Butter zum Einfetten
1 EL Puderzucker

1 Die Himbeeren mit dem Himbeergeist beträufeln. Die Eier trennen und die Eigelb mit dem Zucker sowie dem Salz in einer Schüssel mit dem Handmixer schaumig rühren.

2 Die steifgeschlagenen Eiweiß unterheben und 2/3 der Masse in eine mit Butter ausgefettete feuerfeste Form einfüllen. Dann die Himbeeren vorsichtig darüber verteilen und mit der restlichen Eimasse bedecken.

3 Auf die unterste Schiene in den vorgeheizten Backofen schieben und etwa 20 Minuten bei 150 ° (Stufe 2 im Gasherd) bakken lassen. Vor dem Servieren mit Puderzucker bestäuben.

Hirseauflauf

250 g Hirse
3/4 l Milch
Salz
500 g Äpfel
2 Eigelb
50 g Zucker
abgeriebene Schale einer Zitrone
2 Eiweiß
Margarine zum Einfetten
2 EL Rosinen
20 g Butter
Puderzucker zum Bestäuben

1 Die Hirse heiß überspülen und abtropfen lassen. Dann in einen Topf geben, mit der Milch und dem Salz aufkochen und anschließend 20 Minuten quellen lassen.

2 Die geschälten Äpfel vierteln, die Kerngehäuse entfernen und in dünne Scheiben schneiden. Die Hirse zugedeckt durchziehen lassen. Ab und zu umrühren, damit sich keine Haut bildet.

3 In einer Schüssel die Eigelb mit dem Zukker schaumig rühren und unter die Hirse mischen. Die Eiweiß steif schlagen und unterziehen. Die Hälfte der Hirsemasse in eine ausgefettete Auflaufform oder ausgefettete Portionsförmchen füllen.

4 Die Apfelschnitzel mit Rosinen mischen und auf die Hirsemasse geben. Mit der restlichen Hirse bedecken. Butterflöckchen daraufsetzen und die Form auf die mittlere Schiene in den vorgeheizten Backofen schieben. Bei 200 ° 60 Minuten (Stufe 4 im Gasherd) backen. Als Beilage Fruchtsoße servieren.

Honigbananen

4 Bananen
Saft einer Zitrone
Margarine zum Einfetten
2 EL Honig
10 g abgezogene Mandeln
3 EL Semmelbrösel
20 g Butter

1 Die Bananen schälen und mit dem Zitronensaft beträufeln. Eine Auflaufform einfetten und die Bananen nebeneinander hineinlegen. Dann den Honig darüber träufeln.

2 Die feingehackten Mandeln mit den Semmelbröseln vermischen und über die Bananen streuen. Dann Butterflöckchen darüber verteilen und die Form in den vorgeheizten Backofen stellen. Bei 200 ° (Stufe 4 im Gasherd) 20 Minuten backen lassen. Die Honigbananen mit angeschlagener Sahne als Beilage heiß servieren.

5 Salate

5 Salate

Wir haben die Salate bewußt aus der Menü-Reihenfolge herausgenommen, da sie als Beilage zum Hauptgericht, als Vorspeise oder als Hauptmahlzeit anstelle eines warmen Mittagessens oder als leichte Mahlzeit serviert werden können.

Frische Rohkost enthält viele Nährstoffe und viel Geschmack - eine genußreiche und leicht bekömmliche Vitaminversorgung.

Salate gelingen immer dann, wenn die Zutaten frisch und von bester Qualität sind. Salat, meist sehr preiswert, paßt zu jeder Tageszeit - besonders auch mit Rücksicht auf die schlanke Linie.

Thunfischsalat

- 3 Tomaten
- 2 Zwiebeln
- 2 Äpfel
- 1 Dose Thunfisch (250g)
- 50 g Mayonnaise
- 3 EL Sahne
- 1 EL Chilisoße
- Saft einer Zitrone
- Salz
- frisch gemahlener Pfeffer
- 1 Prise Zucker
- 1/2 Kopf Salat
- 1 hartgekochtes Ei

1 Die Tomaten vierteln und die Stengelansätze herausschneiden. Die geschälten Zwiebeln feinhacken. Die Äpfel abspülen, vierteln; die Kerngehäuse entfernen, Äpfel in Scheiben schneiden. Den Thunfisch abtropfen lassen und mit einer Gabel zerpflüken. Die Zutaten in einer Schüssel mischen.

2 Für die Soße die Mayonnaise, die Sahne, die Chilisoße mit dem Zitronensaft in einer Schüssel verrühren. Anschließend mit Salz, Pfeffer und Zukker abschmecken. Den Salat mit der Marinade übergießen und dann zugedeckt 30 Minuten in den Kühlschrank stellen.

3 Für die Garnierung den Kopfsalat putzen, in kaltem Wasser waschen und trockenschwenken. Den Thunfisch auf den Blättern anrichten und als Garnitur das Ei darauf verteilen.

Kartoffelsalat mit Radieschen

- *800 g kleine festkochende Kartoffeln*
- *1 Zwiebel*
- *1/8 l Fleischbrühe*
- *4 EL Essig*
- *2 TL Zucker*
- *Pfeffer*
- *Salz*
- *1 Bund Radieschen*
- *150 g Maiskörner*
- *1-2 EL geriebener Meerrettich*
- *1 Becher Crème fraîche*
- *2 EL Zitronensaft*
- *2 EL gehackter Dill*

1 Die Kartofffeln mit der Schale etwa 20 Minuten kochen, dann pellen und in Scheiben schneiden. Die abgezogene Zwiebel würfeln und mit der Brühe, dem Essig, dem Zucker und dem Pfeffer aufkochen. Anschließend den Sud mit Salz abschmekken und über die noch warmen Kartoffelscheiben geben. Den Sud mit den Kartoffeln vorsichtig vermengen und solange ziehen lassen, bis die Kartoffeln die Marinade vollkommen aufgesogen haben.

2 Die Radieschen putzen, waschen und in Scheiben schneiden. Die Maiskörner abtropfen lassen und mit den Radieschen zu den Kartoffeln geben.

3 Den Meerrettich, die Crème fraîche und den Zitronensaft mit etwas Zucker verrühren, unter den Salat ziehen. Vor dem Servieren mit gehacktem Dill garnieren.

Rindfleischsalat

400 g gekochtes Rindlfeisch
4 Tomaten
1 Zucchini
3 EL Mayonnaise
2 EL saure Sahne
1 EL Paprika, edelsüß
1 Zwiebel
Salz
2 hartgekochte Eier

1 Das Rindfleisch in Streifen schneiden. Die Tomaten achteln und die Stengelansätze herausschneiden. Die Zucchini putzen, waschen und in Scheiben schneiden.

2 Die Mayonnaise mit der sauren Sahne und dem Paprika verrühren. Die Zwiebel schälen und in die Marinade reiben. Diese dann mit Salz abschmecken und anschließend über den Salat gießen. Vor dem Anrichten den Salat in einer Schüssel mischen. Mit den Eiern garnieren.

Bunter Geflügelsalat

6 gebratene Hähnchenbrustfilets
1 grüne und 1 gelbe Paprikaschote
1 kleine Dose Maiskörner
8 grüne, gefüllte Oliven
6 EL Öl
2 EL Kräuteressig
1 EL Sojasoße
1 TL Paprika, edelsüß
Salz
Pfeffer
1 Bund Radieschen
etwas Kresse

1 Das Fleisch in feine Scheiben schneiden. Die Paprikaschoten halbieren, putzen, waschen und danach in Streifen schneiden. Die Maiskörner abtropfen lassen, die Oliven in Scheiben schneiden. Alle Zutaten miteinander mischen.

2 Das Öl mit dem Essig und der Sojasoße in einer Schüssel verrühren. Dann mit Paprika, Salz und Pfeffer pikant abschmecken und über den Salat gießen. Die gewaschenen Radieschen abtropfen lassen und ebenfalls in Scheiben schneiden. Dann leicht salzen.

3 Den Salat eventuell portionsweise in halbierten Paprikaschoten servieren. Mit den Radieschen und der Kresse garnieren.

Paprikasalat

- *2 l Wasser*
- *Salz*
- *200 g Langkornreis*
- *150 g Zwiebeln*
- *1 grüne, 1 rote und*
- *1 gelbe Paprika*
- *150 g Mayonnaise*
- *1 EL Tomatenketchup*
- *1 EL Curry*
- *2 TL Mangochutney*
- *2 TL Chilisoße*
- *2 TL Sojasoße*
- *30 g Cashewnüsse*

1 Das Wasser in einem großen Topf aufkochen und salzen. Den gewaschenen und abgetropften Reis einrieseln lassen und bei schwacher Hitze 15 Minuten körnig kochen. Dann auf ein Sieb geben und mit kaltem Wasser abspülen und abtropfen lassen.

2 Die geschälten Zwiebeln in dünne Scheiben schneiden. Die Paprikaschoten putzen, waschen und in feine Streifen schneiden. Alles mit dem Reis in eine Schüssel geben und vorsichtig mischen.

3 In einer Schüssel die Mayonnaise, den Tomatenketchup, den Curry und den Mangochutney verrühren. Die Soße mit Chili- und Sojasoße abschmecken und unter den Salat rühren. Das Ganze mit Cashewnüssen garnieren.

Krabbensalat mit Trauben

200 g Krabbenfleisch
200 g blaue und helle Weintrauben
100 g Käsewürfel
70 g Mayonnaise
1 Becher Joghurt
Salz
Zucker
Pfeffer
etwas Zitronensaft
Petersilie
Zitronenscheiben

1 Das Krabbenfleisch mit den ganzen oder halbierten Trauben und dem Käse vermischen.

2 Für die Soße die Mayonnaise mit dem Joghurt, Salz, Zucker, Pfeffer und dem Zitronensaft verrühren. Anschließend die Marinade über den Salat gießen. Bei Bedarf mit gehackter Petersilie und Zitronenscheiben garnieren.

Chefsalat

einige Salatblätter
5 Tomaten
150 g Bratenfleisch
125 g gekochter Schinken
125 g Emmentaler Käse
2 Zwiebeln
100 g Champignons
1 Knoblauchzehe
1 Becher saure Sahne
3 EL Öl
Salz
Pfeffer
Zucker
Saft 1/2 Zitrone
etwas Worcestersoße

1 Die Salatblätter waschen und gut abtropfen lassen. Aus den gewaschenen Tomaten die grünen Stengelansätze entfernen, Tomaten in Scheiben schneiden.

2 Auch das Bratenfleisch in Scheiben oder Streifen schneiden. Dann den Schinken und den Käse in Streifen schneiden. Die Zwiebeln in Ringe und die Champignons in Scheiben schneiden. Mit der geschälten Knoblauchzehe ein großes oder vier kleine Portionsschälchen ausreiben und die Zutaten der Reihe nach einschichten.

3 Für die Soße die saure Sahne mit Öl verrühren und dann mit dem Salz, dem Pfeffer, dem Zucker, dem Zitronensaft und der Worcestersoße pikant abschmecken. Vor dem Servieren über den Salat geben.

6 Snacks

6 Snacks

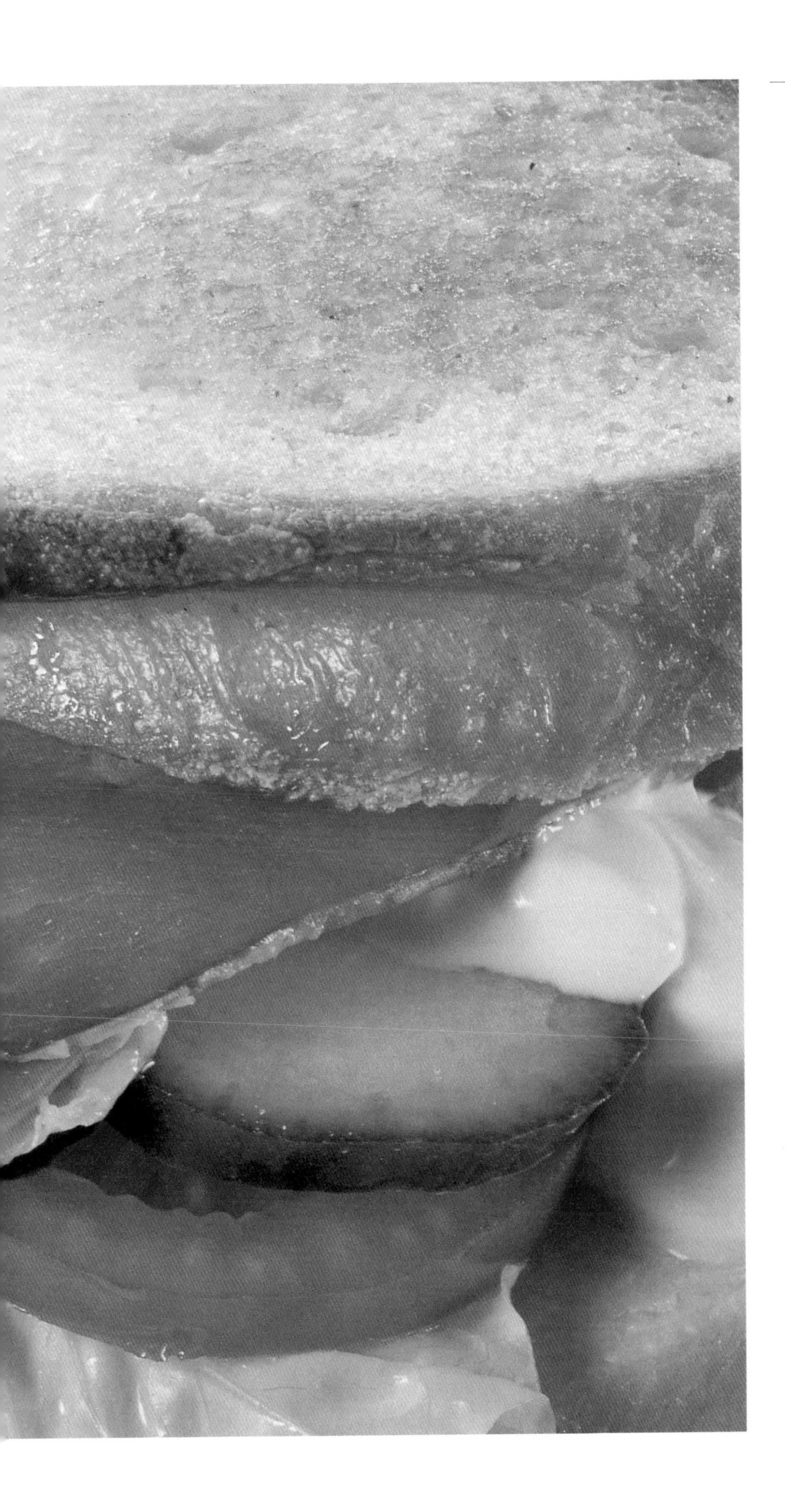

Snacks können eine kulinarische Köstlichkeit sein. Wer sie abwechslungsreich und delikat zubereitet, hat die Feinschmecker immer auf seiner Seite.

Sie passen zur Gartenparty und zum Sommerfest, zum Skatabend und zu vielen anderen Gelegenheiten in der Familie, sind schnell zubereitet und benötigen meist nur wenig Zutaten.

Studieren Sie unsere übersichtlichen Rezepte, die appetitanregenden Farbfotos.

Entdecken Sie die leckeren, charmanten Aufmerksamkeiten.

Pfirsichtoast

4 Scheiben Weißbrot
1 Dose Thunfisch in Öl
100 g Paprikastreifen (aus dem Glas)
4 Pfirsichhälften (aus der Dose)
Paprika, rosenscharf
4 Scheiben Emmentaler Käse
Kresse

1 Das Brot goldgelb rösten. Den Thunfisch abtropfen lassen und zerpflücken. Den abgetropften Tomatenpaprika mit dem Thunfisch mischen und auf die Brotscheiben verteilen.

2 Die abgetropften Pfirsichhälften in je 3 Spalte schneiden und auf den Thunfisch legen. Mit dem Paprika bestäuben und jeden Toast mit einer Käsescheibe bedecken.

3 Das Backblech mit Alufolie auslegen und die belegten Brote darauflegen. Anschließend das Blech in den vorgeheizten Backofen auf die mittlere Schiene schieben. Bei 240 ° (Stufe 6 im Gasherd) 10 Minuten backen. Vor dem Servieren mit Kresse garnieren.

Tournedos auf Artischockenböden

40 g Öl
4 Tournedos von je 100g
Salz
4 Artischockenböden (aus dem Glas)
einige Salatblätter
geschroteter Pfeffer
Crème fraîche

1 Das Öl in einer Pfanne erhitzen und das mit Salz gewürzte Fleisch darin auf jeder Seite 3 Minuten braten.

2 Die Artischockenböden im eigenen Wasser mit etwas Salz erhitzen. Anschließend die geputzten und gewaschenen Salatblätter mit den Artischockenböden und dem Fleisch belegen. Das Ganze mit Pfeffer und Crème fraîche anrichten.

Windbeutel mit Käsefüllung

1/4 l Wasser
40 g Butter
150 g Mehl
4 Eier
50g Kräuter-Schmelzkäse
Margarine zum Einfetten
Mehl zum Bestäuben
1/4 l Sahne
Salz, Pfeffer
1 Päckchen Frischrahmkäse (62,5 g)
20 g geriebener Käse
2 EL gehackte Petersilie
Paprika, edelsüß
Kresse

1 Das Wasser, Butter und Salz in einem flachen Topf aufkochen lassen und vom Herd nehmen. Die gesamte Mehlmenge auf einmal in die heiße Flüssigkeit schütten und schnell glattrühren. Den Topf wieder auf die heiße Kochplatte stellen und die Masse bei geringer Hitze so lange rühren, bis sich ein glatter Kloß gebildet hat.

2 Den Topf vom Herd nehmen und den Kloß in eine Schüssel geben. Ein Ei in den Kloß einrühren und den Teig 5 Minuten abkühlen lassen. Eier nach und nach in den Teig einrühren. Der Teig soll stark glänzen und in dicken Zapfen vom Löffel fallen.

3 Den Käse mit einer Gabel zerdrücken und unter den Teig ziehen. Ein Backblech einfetten und leicht mit Mehl bestäuben. Vom Teig mit einer Spritztülle kleine Windbeutel auf das Backblech spritzen. Dann das Blech in den vorgeheizten Backofen schieben und bei einer Temperatur von 220 ° (Stufe 5 im Gasherd) 45 Minuten backen ohne die Backofentür zu öffnen. Anschließend die Windbeutel aus dem Ofen nehmen, sofort aufschneiden und auskühlen lassen.

4 Für die Füllung die Sahne steif schlagen und mit Salz und Pfeffer würzen. Den Frischkäse in einer Schüssel schaumig rühren; die Hälfte der Sahne sowie den geriebenen Käse dazugeben und anschließend mischen.

5 Die restliche Sahne mit der Petersilie und dem Paprika mischen.Beide Füllungen in die unteren Windbeutelhälften spritzen. Den Deckel aufsetzen und sofort auf Kresse servieren.

Club-Sandwiches

8 Scheiben Weißbrot
4 gebratene Hähnchenbrustfilets
4 Salatblätter
8 EL Mayonnaise
3 Tomaten
Salz
Pfeffer
1 kleine Salatgurke
4 Scheiben Nußschinken

1 Das Brot rösten. Fleisch in Scheiben schneiden, den gewaschenen Salat gut abtropfen lassen. Zwei Drittel der Mayonnaise auf 4 Toastscheiben verteilen. Die Mayonnaise mit einigen Fleischscheiben belegen, mit einem Salatblatt abdecken und mit der restlichen Mayonnaise bestreichen.

2 Die Tomaten waschen und in Scheiben schneiden, auf den belegten Brotscheiben verteilen. Mit Salz und Pfeffer würzen. Darauf werden ungeschälte Gurkenscheiben verteilt. Zum Schluß das restliche Hähnchenfleisch und die Schinkenscheiben darauf verteilen. Mit einer Toastscheibe abdecken.

Roastbeefröllchen mit Ei

4 Scheiben kaltes Roastbeef
1 hartgekochtes Ei
frische Pimpinelle
Crème fraîche
1 TL Zitronensaft
Salz
geschroteter Pfeffer
Pimpinelle zum Garnieren

1 Die Roastbeefscheiben auf einer Platte ausbreiten. Das Ei pellen und klein hakken. Die Pimpinelle waschen, abtupfen und in kleine Streifen schneiden. Beides mit Crème fraîche verrühren und mit dem Zitronensaft, Salz und Pfeffer herzhaft abschmekken.

2 Die Eimasse auf die Roastbeefscheiben streichen und diese zu Röllchen aufwikkeln. Auf Portionstellern anrichten und mit Pimpinelle garnieren.

Mozzarella mit Schinken

500 g Mozzarella
100 g Parmaschinken
etwas Schnittlauch
eventuell Basilikumblätter zum Garnieren

1 Den Käse in knapp fingerdicke Scheiben schneiden und mit Schinken umhüllen.

2 Mit Schnittlauch zu Päckchen binden und eventuell mit Basilikumblättern garnieren.

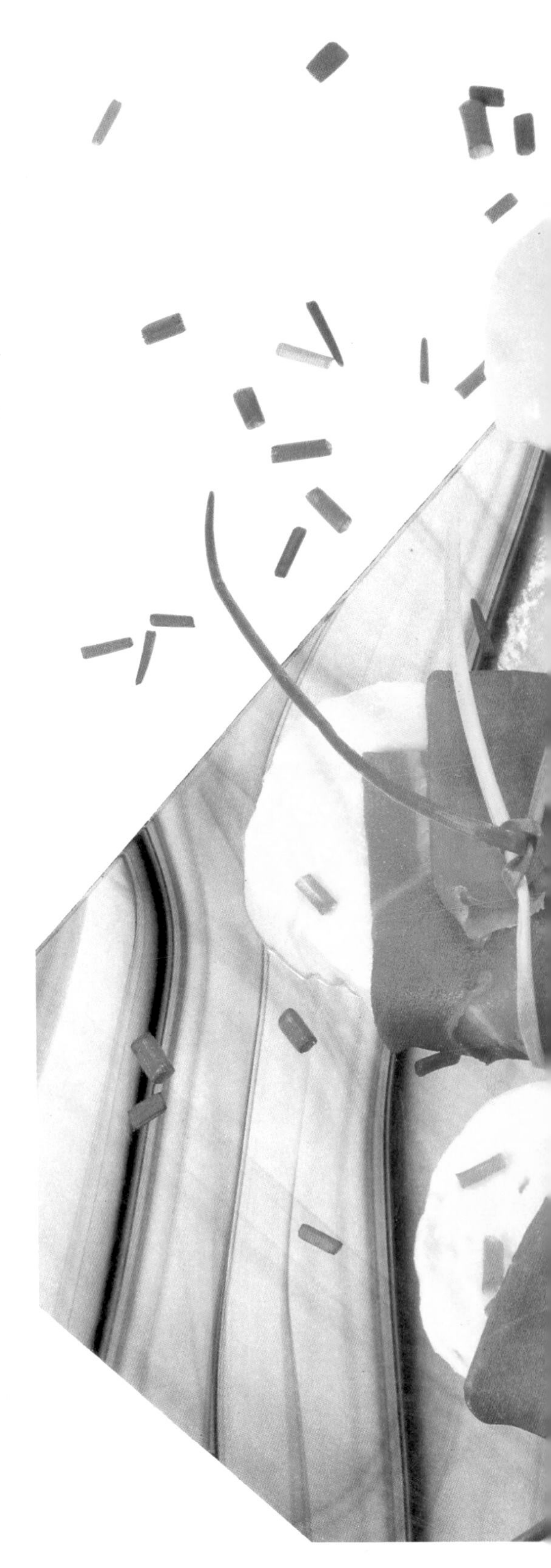

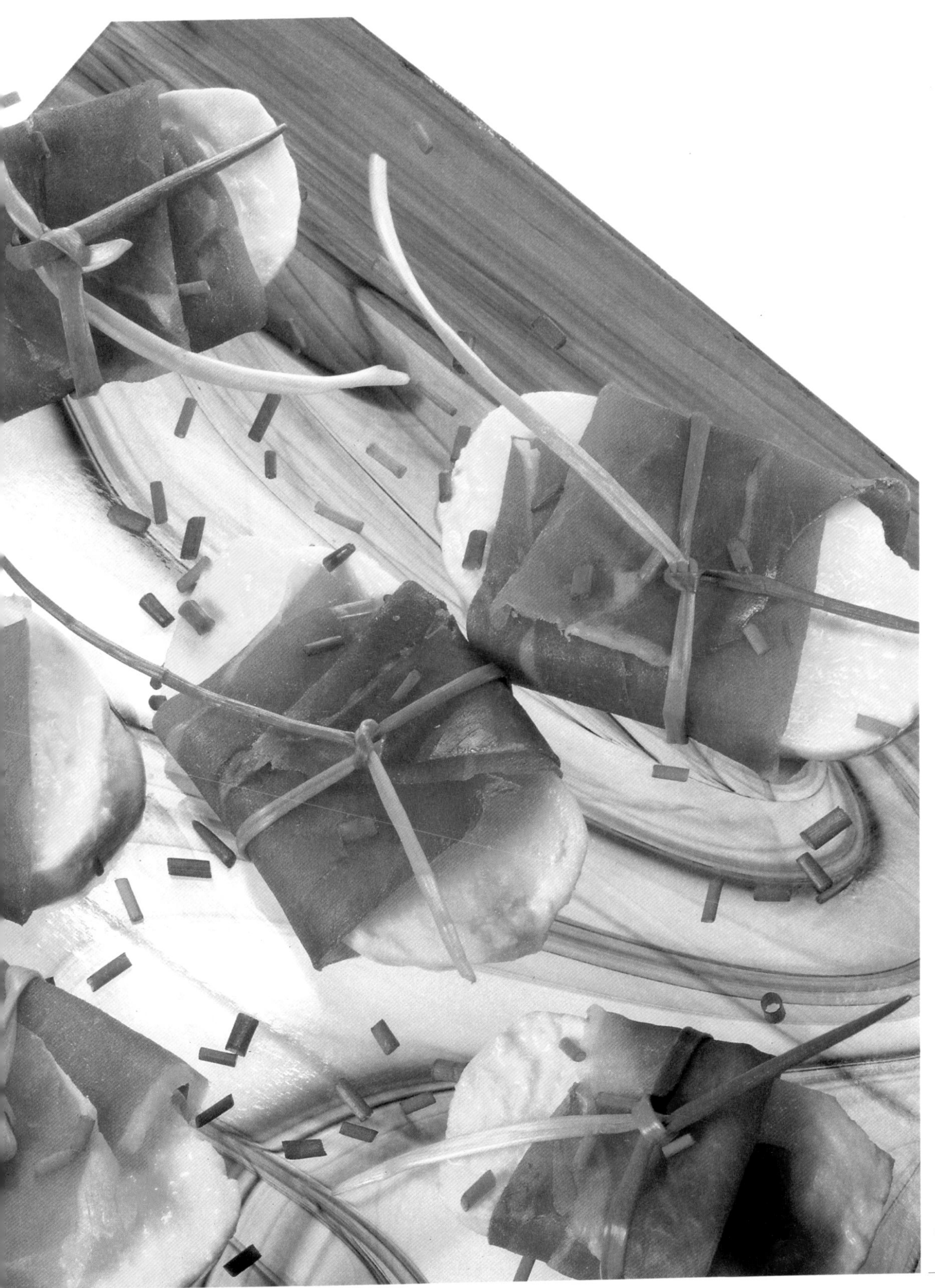

Risotto-Käsebällchen

1 Zwiebel
100 g Schinkenspeck
10 g Butter
500 g gekochter Risottoreis
3 EL geriebener Käse
2 kleine Eier
geriebene Muskatnuß
100 g Mozzarella-Käse
Semmelmehl
Speiseöl
Oregano

1 Die abgezogene Zwiebel klein hacken und den Speck fein würfeln. Die Butter zerlassen und beide Zutaten darin unter Rühren glasig braten. Den gekochten Reis hinzufügen und unterrühren. Die Reismasse in eine Schüssel füllen. Den geriebenen Käse und die verquirlten Eier untermengen und das Ganze mit Muskat abschmecken.

2 Den Mozzarella würfeln. Etwa einen Eßlöffel Reisteig in die hohle Hand füllen, in der Mitte etwas eindrücken und ein Stückchen Mozzarella hineingeben. Dann zu einem Bällchen formen. Mit der übrigen Reismasse genauso verfahren und anschließend die Bällchen in dem Semmelmehl wenden. Die Reisbällchen in etwa 180 ° heißem Fett goldgelb fritieren. Mit Oregano garnieren. Als Beilage eignet sich Blattsalat.

Gefüllte Staudenselleriestangen

1 Selleriestaude
100 g Roquefort-Käse
100 g Crème fraîche
Pfeffer aus der Mühle
8 dünne Scheiben gekochter Rinderbraten

1 Die Selleriestangen von der Staude trennen und nur die zarten inneren Stangen verwenden. Diese dann gründlich waschen und abtropfen lassen.

2 Den Käse mit der Crème fraîche verrühren und pfeffern. Die knackigen Selleriestangen mit der Käsemasse füllen und auf vier Tellern anrichten. Dazu auf jeden Teller zwei Scheiben Bratenfleisch legen.